CWRS CYMRAEG LLAFAR

Golygydd: JAC L. WILLIAMS

CWRS CYMRAEG LLAFAR

CONVERSATIONAL WELSH COURSE

(Thirty units for learning and practising your Welsh
at home and in class)

DAN L. JAMES

Argraffiad-cyntaf—Mawrth 1970
Ail-argraffiad—Mawrth 1971
Trydydd-argraffiad—Mawrth 1973
Pedwerydd-argraffiad—Mehefin 1974

Cyhoeddwyd mewn cydweithrediad â'r Cyd-Bwyllgor Addysg Cymreig

SBN 7154 0162 9

Cyhoeddwyd gan:

Christopher Davies, Cyf., Llandybie, Dyfed

Argraffwyd gan:

Wasg Salesbury, Heol Rawlings, Llandybie Dyfed

FOREWORD

Scores of members of Learning Welsh classes have written to the Faculty of Education at Aberystwpth in recent years to ask if we can supply them with a handbook and records or tapes that will enable them to learn and to practise Welsh at home after attending classes. Similar requests have been received from learners who have not been able to find a class within reach of their homes or who may be living in England or in some other country.

This *Conversational Welsh Course*, accompanied by a record, is presented as an attempt to fill that gap. It has been produced by Dan Lynn James, Research Lecturer in the Faculty and himself a very successful teacher. In accordance with normal practice in this series the work has been thoroughly tested with a class of learners before publication. I wish to thank the group of learners who helped the author during university session 1967-68.

JAC L. WILLIAMS

CONTENTS

CONTENTS

INTRODUCTION TO YOUR
CONVERSATIONAL WELSH COURSE

This new course of Welsh for adults is based to a considerable extent on the linguistic analysis underlying *Cymraeg i Oedolion* by Dr. R. M. Jones.

It is an oral course using the standardised spoken Welsh forms recommended in the pamphlet *Cymraeg Byw II* published by the Welsh Joint Education Committee.

The main elements of *Conversational Welsh Course* are Units containing:

1. A dialogue between the two chief characters (Huw and Nest) with a parallel English version alongside. The dialogues have, in general, been restricted to two characters in the interest of economy of production.

2. Pattern Practice to enable the learner to permutate vocabulary and speech-patterns. This ensures flexibility of expression and adaptability.

3. Vocabulary, based mainly on *A Learner's Welsh Dictionary* (I. Tudno Williams), is the main product of a research project sponsored by the Department of Education and Science at the University College of Wales, Aberystwyth, 1964-67.

4. A Grammar Section containing grammar which is relevant to the unit.

5. A series of self-corrective exercises based on the content of each unit.

6. Revision units to consolidate material already learnt.

7. Activities designed to enable the learner to use creatively the patterns and vocabulary which have been drilled.

8. A record of the dialogues as a guide to pronunciation. A native speaker (or speakers) or the learner's tutor will be able to record the spaced dialogues and exercises on tape for individual use with a tape-recorder or in a language laboratory.

THE BILINGUAL METHOD

During the past few years, tutors in evening classes for adults and teachers in schools have been using the Bilingual Method evolved by Mr. C. J. Dodson, University College of Wales, Aberystwpth. This Method has been fully defined in a pamphlet published by the Faculty of Education at Aberystwpth entitled "Modern and Foreign Language Teaching in the Primary School" and in a book "Language Teaching and the Bilingual Method" (C. J. Dodson, Pitman).

The main characteristics of the Method are:

1. The language is taught through situations.

2. Use is made of the learner's first language.

3. The approach is an intensive oral one with a maximum number of speaking contacts in order to ensure fluency.

4. Use is made of pictures to elicit response.

5. The method employs drill which leads to creativity, i.e. a pattern effectively drilled in one situation can then be used with a combination of new patterns and vocabulary in other situations.

Here are the steps employed for each individual situation:

1. **Imitation.**

The learner listens carefully to the tutor's model sentence (which is presented along with its English equivalent), seeks to recognise the sound and then mimics the sentence, e.g. *Tutor:* Mae coleg yn Aberystwpth (There is a college in Aberystwyth). *Learner:* Mae coleg yn Aberystwpth. In a class situation the tutor positions himself in the middle of his class and elicits a response from all members by pointing at them at random. The learner may look at the printed sentence while listening, but not when responding. The learner needs to mouth every foreign-language sentence while other members are actively responding.

2. **Oral Interpretation.**
   Tutor: Oral mother-tongue stimulus (i.e. English).
   Pupil: New-language response (i.e. Welsh).
   e.g. *Tutor:* There is a college in Aberystwpth.
   Pupil: Mae coleg yn Aberystwpth.

This step is an important one in ensuring the ability to switch from one language to another. The whole sentence to be interpreted is envisaged as one 'unit' or 'concept' and not as a word-by-word translation.

11

3. Substitution and Extension.

Original sentence: Mae coleg yn Aberystwyth.
Substitution: Mae prom yn Aberystwyth
Extension: ond does dim casino yma.

(see Pattern Practice in every Unit)

The aim is to enable learners to generate new sentences to meet the needs of everyday communication. Only one element is changed at a time. The tutor needs to practise chaining ideas in English e.g. John is going to town. Mary is going to town. John is buying a jacket. Mary is buying a macintosh. What is John buying? What is he buying? What is Mary buying? What is she buying?

A composite picture or picture-strip is very effective for this procedure. The Extension Stage is an important one since learners need to be able to string sentences together with such words as 'a' (and), 'ond' (but). The whole purpose of the substitution and extension exercise is to create a flexibility in the learner so that he will venture to utter new combinations as the situation demands.

4. Independent Speaking of Sentences.

No spoken stimulus is supplied but the learner is required to speak in the new language. Pictorial aids are an asset. The aim is to produce new situations constantly. Acting the situation (with props) is all-important. Many groups can be employed in this work. One group can mime a situation and others describe what is going on. This involvement produces confidence in the learner and also helps to form a group-spirit in the class situation.

5. Reverse interpretation (optional).

i.e. *Tutor* gives sentence in Welsh.
     Learner gives English equivalent.

6. Consolidation of Question Pattern (optional)
(if not in steps 1 and/or 3)

7. Questions and Answers.

"Steps 7 and 8 are therefore the most important activities of all the oral work done in the classroom". A picture-strip or composite picture is again useful. Do not allow a time-lag between stimulus and response (i.e. between question and answer).

"The question and answer exercise must therefore develop into an activity method in which the pupils can hear, see, touch, taste and feel the reality of the sentences they can speak." It is very necessary for the learners to ACT THE SITUATION. The value of this creative step cannot be too strongly-emphasised.

8. Normal Foreign-Language Conversation.

The learner is now expected to create totally new situations from the linguistic material which he has already encountered. Known and newly-created situations are

12

fused. This is the height of CREATIVITY. No use is made of the mother tongue in steps 7 and 8.

Use of Units in Class

Evening classes for adults are normally conducted once a week for a period of $1\frac{1}{2}$ to 2 hours. Many tutors will find that there is sufficient in each Unit for two sessions. It should also be stressed that learners need to devote time at home for the consolidation of work studied in class. If two or three learners can come together, all the better. If not, the individual learner needs to talk to himself in Welsh as much as possible!

When dealing with each unit in class, it will be advisable to subdivide the unit so that the tutor does not continue with steps 1-3 for a whole period. He will constantly ring the changes so that interest is sustained. Variety is the spice of life and this is nowhere truer than in language learning. "Every lesson should have something unexpected in it", was one learner's remark to the author.

Once the content of the Unit has been mastered through mimicry and memorization the learner can test his mastery of Welsh by placing a piece of paper over the Welsh version and trying to "interpret" the English sentences.

Use of Pattern Practice Section

This section aims to get the learner away from the idea that he is learning one set statement. Rather should he seek to master the all-important speech-pattern and then produce as many meaningful sentences as he can by adding suitable vocabulary to the pattern. This is a substitution process. Eventually he will be able to extend the sentence by saying why or how or when etc. thus creating new combinations. The learner should also try to "interpret" the sentences in English as well as making a response where possible, i.e. cue and response ("Mae hi'n fore braf / Ydy,") or answering a question ("Oeddech chi yno? / Oeddwn, . . ."). An attempt has been made to reframe patterns and vocabulary so that they occur and recur in differing linguistic combinations and situations. This is what happens in normal day-to-day speech and the learner has to train himself through the pattern practice to gain this fluency and flexibility. Students might consider how to use the Pattern Practice Section most effectively for specific purposes. e.g.

1. For quick oral interpretation
2. Substitution and extension
3. Mimicry and memorization
4. Changing to a question / affirmative statement / negative statement, plural etc.

Grammar Sections

Current thought favours the study of grammar by the inductive method i.e. the rule is evolved from the example and not in isolation. An effort has been made to include under every unit grammar sections which are relevant to the subject matter of each unit. No attempt is made to present a comprehensive grammar.

Activities

While one must not under-estimate the value of drill in firmly establishing patterns in the memory, it is also essential to involve the learner in suitable activities which will make the learning a lasting experience. Educationists emphasise the importance of active learning, and the working out or living of speech-patterns and vocabulary will make the impression more vivid. A class tutor may decide against using any of the suggested activities or use merely one or two, but he would be well advised to consider the value of expression as a means to impression. In an adult class situation the tutor should strive to break down the barriers and try to create a sense of fellowship. This is best done by pairing, grouping and getting active participation. The author has found that activities which are enjoyed by children (e.g. singing and playing) are equally acceptable to adults and ensure consolidation.

Exercises

When the work has been learnt and acted out, there is still the testing or evaluating aspect. This is done by means of self-corrective exercises.

The learner needs a ready assurance that his responses are correct, and while this cannot be done phonologically without the aid of a tape or record, it can be semantically achieved by means of self-corrective exercises. These exercises can be taped, gaps being left for the student's response, followed by the tutor's answer and this will ensure that the learner's enunciation (as well as his constructions and word order etc.) are correct.

Revision Units

The students who first experimented with the course felt that one should include a revision unit after every six units. This ensures breathing space to consolidate work already done.

Pictures

It has been found useful in the class situation to draw a series of pin-pictures to portray a whole unit. These can be used to elicit sentences without resorting to a mother-tongue stimulus. It would be a good exercise for students themselves to prepare their own pictures as a learning aid. The following is the original set of pictures prepared for the presentation of Unit 1.

14

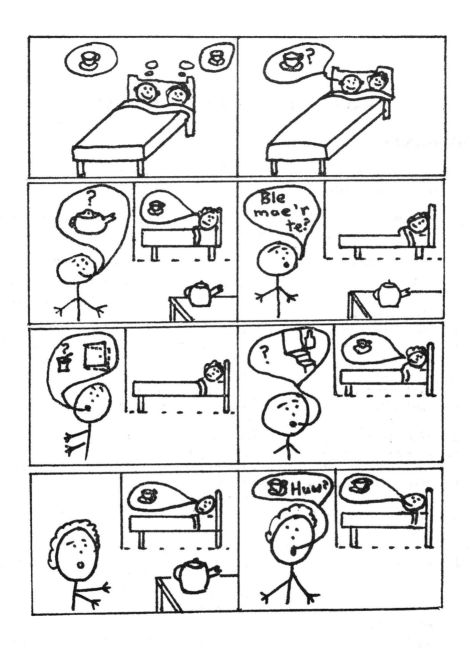

I wish to acknowledge many valuable suggestions by students and colleagues in the preparation of this course.

DAN L. JAMES.

PRONUNCIATION OF WELSH

CONSONANTS.

(i) The consonants *b, d, l, m, n, p, t,* and consonantal *w,* are pronounced as their English equivalents.

(ii) The following consonants have corresponding sounds in English, but the symbols do not always correspond:

Welsh	English Equivalent
c *c*ath (*cat*)	*c*at (not as in re*c*eipt) Exceptions: *ac* (*and*) and *nac* (*nor*) are pronounced *ag* and *nag*.
ch *ch*warae (*play*)	lo*ch*
dd *dd*oe (*yesterday*)	*th*erefore
f y*f*orɥ (*tomorrow*)	lo*v*e (The final 'f' is often omitted in spoken Welsh e.g. y *d*ref / y dre. (*the town*).
ff *ff*air (*fair*)	so*f*t
g *g*ardd (*garden*)	*g*uard (not as in *g*entleman)
ng ca*ng*en (*branch*)	ba*ng* (Except Bang-or and dang-os = *to show*)
i *I*ago (*James*)	*y*ard
h *H*uw (*Hugh*)	*h*ere (not as in *h*onest)
ph ei *ph*wrs (*her purse*)	*ph*otogra*ph*
s *s*ut (*how*)	*s*ense (never a z) Note 'brysio' (*to hurry*)
th ei *th*eulu (*her family*)	*th*rone
t*sh*ips	*ch*ips
Si + a vowel becomes sh = *si*op / *sh*op.	

(iii) Some Welsh consonants have no corresponding English sounds, e.g.

ll Llane*ll*i	Place the tip of the tongue against the roof of the mouth near the upper teeth, as if to pronounce the 'l' sound, but blow sharply instead of sounding the 'l'.
r *r*ydw i (*I am*)	Trilled like Scotch '*r*' e.g. *r*ush.
rh *rh*ɥ (*too*)	Unvoiced '*r*' followed by quick emission of breath.
mh ⎫ fy *mh*en (*my head*) nh ⎬ fy *nh*eulu (*my family*) ngh ⎭ fy *ngh*oes (*my leg*)	As for 'm, n, ng' + a strong aspirate following.

16

Vowels.

a, e, i, o, u, w, y.

a, e, i, o, u, w, y may be long or short.

Long	Short
a gwlad (country) as in bard	mam (mother) as in ham.
e te (tea) as in humane	pren (timber, tree) as in tent.
i chi (you) as in tree	inc (ink) as in ink.
o côr (choir) as in shore	fforc (fork) as in bond.
w cŵn (dogs) as in swoon	wn (know) as in good.
u un (one) as in mean (long) or *u* as in unwaith (once) (short)	

(i)   y has two sounds

      CLEAR: (i) long = dꝑn (man) as in dean

                 (ii) short = mꝑnd (go) as in sprint. (The clear 'y' appears as 'ꝑ' in this volume).

      OBSCURE: yn (in) as in fun.

(ii)   Both the clear and the obscure forms can occur within the same word,
     e.g. mynꝑdd (mountain)

           myn (obscure)   ꝑdd (clear)

(iii)   In final syllables, Y has the English 'i' sound. dilꝑn (to follow) as in lint.

(iv)   In any other syllable than the final, Y is obscure, e.g. cyrraedd (to reach) (as in come).

(v)   Exceptions: The monosyllables Y, YR (the) (undo), YN (in) (untie), FY (my) (verb).

(vi)   In words of one syllable, Y is sometimes long, sometimes short.
     tꝑ (tee) (house), dꝑn (dean) (man), brꝑn (in) (hill), hꝑn (tin) (this, these).

(vii)   The vowel is often expressed in colloquial Welsh between two consonants in a final syllable, e.g. pobl (pobol) (people), aml (amal) (often), Lloegr (Lloeger) (England), gwꝑdr (gwꝑdꝑr) (glass), cwbl (cwbwl) (all).

     Note that this "epenthetic vowel" is generally the same as the vowel in the preceding syllable.

DIPHTHONGS.

ae — llaeth (milk) (English ah + eh).

ai, au — (English aye) sounded together. In final unaccented syllables, they are pronounced as 'e' ('a' in North Wales).

byddai (bydde / bydda) (would be)

llyfrau (llyfre / llyfra) (books)

cwpanaid (cwpaned / 'panad) (a cupful).

ei, eu, ey (English 'wait')

17

ei (= his, her) is pronounced 'i in spoken Welsh, e.g. ei *dad* > 'i *dad* (his father)

aw (English ah + oo) rapidly following one another.

ew ('e' as in 'let', 'w' as in 'foot') not as in 'new', e.g. newɥdd (new) (not as in *news*)

i'w, uw (English ee + oo)

ɥw (Welsh iw, uw, in final syllables and in words of one syllable. When not in final syllable, YW is equivalent to the English 'cloud')

ow (English 'bl*ow*')

wɥ (sometimes as in '*weak*', sometimes as in 'c*oo*ing' (pronounced as the syllable).

oe, oi, ou (as in 'b*oi*l')

Certain Welsh consonants undergo a change in particular circumstances. These changes have been italicized in the Units and the reasons for them are dealt with in the Grammar sections.

MUTATIONS

Initial Consonant	Soft	Nasal	Aspirate
C	G	Ngh	CH
P	B	Mh	PH
T	D	Nh	TH
G	—	Ng	
B	F	M	
D	DD	N	No change
LL	L		
RH	R	No change	
M	F		

KEY TO GRAMMAR SECTIONS OF UNITS

1. **Te yn y gwelḟ.**

(Ble mae Huw a Nest?

Mae Huw a Nest yn y gwelḟ)

Huw:	Bore da, Nest.
Nest:	Bore da, Huw.
Huw:	Sut mae y bore yma?
Nest:	Da iawn, diolch.
Huw:	Te?
Nest:	Os gwelwch chi'n *dd*a.

*   *   *   *   *   *   *

(Mae Huw yn y *g*egin nawr)

Huw:	Ble mae'r tebot?
Nest:	Mae'r tebot ar y bwrdd.
Huw:	Ble mae'r te?
Nest:	Mae'r te yn y tebot.
Huw:	Ydḟ'r siwgr yn y cwpwrdd?
Nest:	Ydḟ, mae'r siwgr yn y cwpwrdd.
Huw:	Ydḟ'r llaeth wrth y drws?
Nest:	*W*n i *dd*im.

(Mae Nest yn codi ac mae Huw
yn mḟnd 'nôl i'r gwelḟ)

*   *   *   *   *   *   *

Nest:	Te, cariad?
Huw:	Os gwelwch chi'n *dd*a.
Nest:	Siwgr?
Huw:	Dim diolch.

1. **Tea in bed.**

(Where are Huw and Nest?

Huw and Nest are in bed)

Huw:	Good morning, Nest.
Nest:	Good morning, Huw.
Huw:	How are you this morning?
Nest:	Very well, thanks.
Huw:	Tea?
Nest:	Please.

(Huw is in the kitchen now)

Huw:	Where is the teapot?
Nest:	The teapot is on the table.
Huw:	Where is the tea?
Nest:	The tea is in the teapot.
Huw:	Is the sugar in the cupboard?
Nest:	Yes, the sugar is in the cupboard.
Huw:	Is the milk by the door?
Nest:	I don't know.

(Nest gets up and Huw goes
back to bed)

Nest:	Tea, love?
Huw:	Please.
Nest:	Sugar?
Huw:	No thanks.

PATTERN PRACTICE

1.

Bore da	Huw
Prynhawn da (*good afternoon*)	Nest
Noswaith *dd*a (*good evening*)	Llew
Nos da (*good night*)	cariad

2.

Sut mae ⌐ Sut rydɥch chi ∫	y bore yma? heddiw? (*today*)
Dim diolch (*no thanks*)	

3.

Ble mae	Huw? Nest?

Mae	Huw Nest	yn y	gwelɥ gegin (*kitchen*) tɥ̂ (*house*)

4.

Ble mae'r	te? tebot? siwgr? llaeth?

Mae'r	te tebot siwgr llaeth	yma (*here*)

5.

Ydɥ'r	siwgr te	yn	y	cwpwrdd? tebot?
	tebot llaeth	ar wrth		bwrdd? drws?

Ydɥ, mae'r	siwgr te	yn	y	cwpwrdd tebot
	tebot llaeth	ar wrth		bwrdd drws

6.

Te, Siwgr, Llaeth, Coffi, Pop,	os gwelwch chi'n *dd*a.

Vocabulary (Geirfa):

bore (*m*) — morning
bwrdd (*m*) — table
cariad (*m*) — sweetheart, love
coffi (*m*) — coffee
cwpwrdd (*m*) — cupboard
drws (*m*) — door
gwelɥ (*m*) — bed
llaeth (*m*) — milk
pop (*m*) — pop
prynhawn (*m*) — afternoon
siwgr (*m*) — sugar
te (*m*) — tea
tebot (*m*) teapot
tŷ (*m*) — house
nos (*f*) — night

ffordd (*f*) — road
noswaith (*f*) — evening
da iawn, diolch — fine, thanks
os gwelwch chi'n dda — please
ble? — where?
heddiw — today
mae — is
mae'r — the . . . is
mɥnd — to go
sut? — how? (also 'what kind of'?)
ar — on
wrth — by (also 'at')
yma — here
yn — in
ɥn i ddim — I don't know

Grammar (Gramadeg):

(a)   The normal word order in a Welsh sentence is that of VERB, SUBJECT

e.g.   Mae'r tebot ar y bwrdd.   Mae Huw yma.
       The teapot is on the table.   Huw is here.

(b)   **The use of/Mae**

1.   In affirmative statements, with a definite or indefinite subject, normal order

Mae Huw yn y gwelɥ.   (Huw is in bed).
Mae'r te yn y tebot.   (The tea is in the teapot).
Mae llaeth yn y cwpwrdd.   (There is milk in the cupboard).
Mae Nest yn y gegin ac   (Nest is in the kitchen and
   mae Huw wrth y drws.   Huw is by the door).

2.   **After:**

Pam (Why?); Ble (Where?); Sut (How?); Prɥd (When?).

(See also Grammar Section, Revision Unit 1.)

(c)   English = go = goING
      Welsh = mɥnd = yn mɥnd

In English, the Present Participle is formed by adding -ING to the verb.
In Welsh, by putting YN *before* the verb.

23

(d) There is no Welsh equivalent of the indefinite article 'a' (*a* book) in English. The definite form 'the' (*the* door) is 'y' before a consonant, 'yr' before a word beginning with a vowel and the letter 'h',

e.g. *y* cwpwrdd (the cupboard)
yr afal (the apple)
yr haul (the sun)

The stress is on the noun rather than on the article.
There is a third form of the definite article in Welsh, namely 'r' which is used instead of 'y' when the word preceding it ends in a vowel.

e.g. Ble mae'*r* tebot?
Where is *the* teapot?

(e) 'Ydʃ' is used with *definite subjects* in questions such as:

Ydʃ'r llaeth wrth y drws?
Is the milk by the door?

(Note that two forms of the definite article are used in the above example, 'r' and 'y').

(f) to bed = "i'*r* gwelʃ" (to *the* bed) in Welsh.
in bed = yn y gwelʃ.

(g) Notice the form "ac mae Huw" (and Huw is) where 'a' becomes 'ac' before "mae".

(h) The 2nd singular form "wʃt ti" is used when adressing people one knows well and domestic animals (e.g. a dog). Otherwise, the 2nd plural form "chi" is used.

(i) Yn y *g*egin. Soft mutation of a feminine singular noun after the article 'y'.

(j) For the form 'Ydʃ, mae' see the grammar section in Unit 2.

1. Exercises (Ymarferion):

Atebwch y cwestiynau (Answer the questions that are on the left hand side of the page. Check the answers which are on the right hand side. These should be hidden with a piece of paper while you give your oral answer. They will be useful as a reference when you test yourself from time to time).

1. Sut mae y bore yma, Huw?
....
Da iawn, diolch.

2. Ble mae'r tebot?
....
Mae'r tebot ar y bwrdd.

3. Ble mae Nest?
....
Mae Nest yn y gwelʃ.

4. Ble mae'r te?
....
Mae'r te yn y tebot.

5. Ydʃ'r siwgr yn y cwpwrdd?
....
Ydʃ, mae'r siwgr yn y cwpwrdd.

24

2. Translate: (Cyfieithwch):

The correct answers are again on the right hand side of the page.

1. Good morning, love.
....
   Bore da, cariad.

2. How are you this morning?
....
   Sut mae y bore yma?

3. Fine, thanks.
....
   Da iawn, diolch.

4. Please.
....
   Os gwelwch chi'n *dd*a.

5. Where is the tea?
....
   Ble mae'r te?

6. The tea is in the teapot.
....
   Mae'r te yn y tebot.

7. The teapot is on the table.
....
   Mae'r tebot ar y bwrdd.

8. Is the sugar in the cupboard?
....
   Ydʝ'r siwgr yn y cwpwrdd?

9. Is the milk by the door?
....
   Ydʝ'r llaeth wrth y drws?

3. Change the order of words in the following sentences in order to stress the location
   e.g. Mae Huw yn y gwelʝ / Yn y gwelʝ mae Huw.
   1. Mae Nest yn y *g*egin.
   2. Mae'r te yn y cwpwrdd.
   3. Mae'r llaeth wrth y drws.
   4. Mae Huw yn y tŷ.
   5. Mae'r siwgr yma.
   6. Mae Huw ar y ffordd.
   7. Mae'r afal yn y cwpwrdd.
   8. Mae'r tebot ar y bwrdd.
   9. Mae Llew wrth y drws.
   10. Mae Huw a Nest yn y tŷ.

4. **Activities:**
   1. Imitate and memorize the Unit in three sections.
   2. Cover the Welsh section of the Unit and try to interpret the English sentences.
   3. Enact the scene with a partner using suitable props.
   4. Using simple pinmen characters, make a pictorial representation of the whole unit and use the pictures as a verbal stimulus.

25

UNED (UNIT) 2

2. Pacio.

Huw: Prynhawn da, Nest.

Nest: Prynhawn da. Ble mae'r bag?

Huw: Y bag? O, mae e ar y gwelɥ.

Nest: Ydɥ'r siwt yn y bag?

Huw: Ydɥ, mae hi yn y bag bach.

Nest: Ble mae'r ffrog?

Huw: Mae'r ffrog yn y bag bach hefɥd.

★ ★ ★ ★ ★ ★ ★

Nest: Ydɥ'r bwɥd yn *b*arod?

Huw: Ydɥ, mae e'n *b*arod. Mae e yn y *f*asged.

★ ★ ★ ★ ★ ★ ★

Nest: Ydɥ'r car y tu allan?

Huw: Nac ydɥ, *dd*im eto.

Nest: Wel, brysiwch. Mae Dafɥdd yma mewn prɥd.

Huw: Ydɥ, mae e wrth y drws. Dewch i mewn, Dafɥdd. Mae Nest yn y *g*egin.

Nest: Ble mae'r ci, Huw?

Huw: Mae e'n bwɥta'r bwɥd! Edrychwch.

2. Packing.

Huw: Good afternoon, Nest.

Nest: Good afternoon. Where is the case?

Huw: The case? Oh, it is on the bed.

Nest: Is the suit in the case?

Huw: Yes, it is in the small case.

Nest: Where is the frock?

Huw: The frock is in the small case too.

★ ★ ★ ★ ★ ★ ★

Nest: Is the food ready?

Huw: Yes, it's ready. It is in the basket.

★ ★ ★ ★ ★ ★ ★

Nest: Is the car outside?

Huw: No, not yet.

Nest: Well, hurry. David is here in time.

Huw: Yes, he is at the door. Come in, David. Nest is in the kitchen.

Nest: Where's the dog, Huw?

Huw: He is eating the food! Look.

PATTERN PRACTICE

1.

Ble mae'r	bwɥd? tebot? bag? car? siwt? (*f*) ffrog? (*f*)

Mae'r	bwɥd yn y *f*asged bag ar y gwelɥ	
Mae e	ar y bwrdd y tu allan	
Mae'r	siwt ffrog	yn y bag
Mae hi	yma	

26

2.

Ydɥ	Nest Dafɥdd	yma?

Ydɥ, mae	Nest Dafɥdd	yma

3.

Ydɥ'r	bwɥd yn *b*arod? siwt ar y gwelɥ?

Ydɥ,	mae'r bwɥd	yn *b*arod
	mae e	'n *b*arod
	mae'r siwt	ar y gwelɥ
	mae hi	

4.

Sut mae'r	bwɥd? te? gwelɥ?

Da iawn, diolch

5.

Sut mae	y bore yma, y prynhawn yma, heddiw, heno, (*tonight*) nawr, (*now*)	Tom? Gwilɥm?

Da iawn, diolch
Gweddol (*fair*) Go *dd*a

6.

Te? Bwɥd? Llaeth? Siwgr? Coffi? Sigaret? Jam?	Os gwelwch chi'n *dd*a. Dim diolch O'r gorau Diolch yn *f*awr

Vocabulary (Geirfa):

bag (*m*) — bag
bwyd (*m*) — food
car (*m*) — car
ci (*m*) — dog

basged, y fasged (*f*) — basket
ffrog (*f*) — frock
sigaret (*f*) — cigarette
siwt (*f*) — suit

brysiwch — hurry
edrychwch — look

dim eto — not yet
e — he

hi — she
hefyd — also
heno — tonight
gweddol (go *dd*a) — fair
nawr — now
pacio — to pack
parod (yn *b*arod) — ready
Ydy'r? — Is the?
y tu allan — outside
mewn pryd — in time

Grammar (Gramadeg):

(a) Ydy? is the question form in the following examples:

Ydy Huw / Nest . . . ? (Proper Noun as Subject) *(Is Huw . . . ?)*	Ydy, mae Huw / Nest . . . *(Yes, Huw / Nest is . . .)*
Ydy e / hi . . . ? (Pronoun Subjects) *(Is he / she . . . ?)*	Ydy, mae e / hi . . . *(Yes, he / she is . . .)*

(b) Note the following:
Ydy'r siwgr yn y cwpwrdd?
(Is the sugar in the cupboard?)
Ydy, mae'r siwgr yn y cwpwrdd.
(Yes, the sugar is in the cupboard).

(c) Feminine Singular nouns take a soft mutation after the article 'y' (the)
e.g. basged, y fasged. (See Mutation Table at the end of the Section on Pronunciation).

(d) The adjective '*barod*' (original form '*parod*') also takes the soft mutation after the connecting word 'yn'.

(e) The English 'it' is translated by 'e' (he) or 'hi' (she) since there is no Welsh equivalent.

I. Exercises (Ymarferion):

Give 'yes' answers to the following questions:

1. Ydy'r car yn *b*arod?

. . . .
Ydy, mae'r car yn *b*arod.

2. Ydy'r bwyd ar y bwrdd?

. . . .
Ydy, mae'r bwyd ar y bwrdd.
(mae e)

3. Ydɥ'r siwt yn y bag?

. . . .
Ydɥ, mae'r siwt yn y bag.
    (mae hi)

4. Ble mae'r siwt?

. . . .
Mae'r siwt yn y bag.
    (Mae hi)

5. Ble mae'r bwɥd?

. . . .
Mae'r bwɥd yn y *f*asged.
    (Mae e)

6. Ydɥ Dafɥdd wrth y drws?

. . . .
Ydɥ, mae Dafɥdd wrth y drws.
    (e)

7. Ble mae'r bag?

. . . .
Mae'r bag ar y gwelɥ.
    (Mae e)

8. Ydɥ'r te yn y tebot?

. . . .
Ydɥ, mae'r te yn y tebot.
    (mae e)

9. Ydɥ'r siwgr yn y cwpwrdd?

. . . .
Ydɥ, mae'r siwgr yn y cwpwrdd.

10. Ydɥ'r llaeth wrth y drws?

. . . .
Ydɥ, mae'r llaeth wrth y drws.

2. Translate (Cyfieithwch):

1.	Where is the bag?	Ble mae'r bag?
2.	It is on the bed.	Mae e ar y gwelɥ.
3.	Is the suit in the case?	Ydɥ'r siwt yn y bag?
4.	Yes, it is in the small case.	Ydɥ, mae hi yn y bag bach.
5.	Is the food ready?	Ydɥ'r bwɥd yn *b*arod?
6.	It is in the basket.	Mae e yn y *f*asged.
7.	Is the car outside?	Ydɥ'r car y tu allan?
8.	No, not yet.	Nac ydɥ, *dd*im eto.
9.	Hurry!	Brysiwch!
10.	Is David here?	Ydɥ Dafɥdd yma?
11.	Yes, he is here in time.	Ydɥ, mae e yma mewn prɥd.
12.	Fine, thanks.	Da iawn, diolch.
13.	She is in bed.	Mae hi yn y gwelɥ.
14.	How is the tea?	Sut mae'r te?
15.	Is Gwilɥm in the kitchen?	Ydɥ Gwilɥm yn y *g*egin?

Activities:

1. Practise the dialogues in twos, then move freely around and enact the scene using suitable gestures.

2. Reconstruct the scene by means of ten simple pictures.

3. Prepare an original script for next session using the vocabulary contained in the dialogue and pattern practice.

4. Call the Roll! The tutor calls the roll using questions such as "Ble mae Mr. A?" "Ydʝ Mrs. B. yma?"

5. Chain story. Construct a simple story with each member supplying one sentence.

UNED (UNIT) 3

3. Ar goll!

Huw: Noswaith *dda*, cariad. Dydɥ'r *Radio Times dd*im yma.

Nest: Ydɥ.

Huw: Ble?

Nest: Edrychwch ar y set *d*eledu.

Huw: Ar y set *d*eledu? Dydɥ e *dd*im yma.

Nest: Ydɥ e dan y *g*adair?

Huw: Nac ydɥ, dydɥ e *dd*im dan y *g*adair chwaith. Ydɥ'r papur yma?

Nest: Ydɥ, siŵr o *f*od. Mae e wrth y *dd*esg *b*ob nos.

Huw: Nac ydɥ, dydɥ e *dd*im wrth y *dd*esg o *g*wbl. Dydɥ'r papur *dd*im yma a dydɥ'r *Radio Times dd*im yma. *W*n i *dd*im, *w*ir!

Nest: Arhoswch *f*unud. Dyma'r *Radio Times*.

Huw: Ble, Nest?

Nest: Ar y set *d*eledu, wrth *g*wrs.

Huw: Diolch bɥth!

3. Missing!

Huw: Good evening, dear. The Radio Times isn't here.

Nest: Yes.

Huw: Where?

Nest: Look on the T.V. set.

Huw: On the television set? It isn't here.

Nest: Is it under the chair?

Huw: No, it isn't under the chair either. Is the paper here?

Nest: Yes, sure to be. It is by the desk every night.

Huw: No, it isn't by the desk at all. The paper isn't here and the Radio Times isn't here. I really don't know!

Nest: Wait a minute. Here's the Radio Times.

Huw: Where, Nest?

Nest: On the T.V. set, of course.

Huw: Thank goodness!

PATTERN PRACTICE

1.

Ydɥ'r (Is the)	bag siwt *Radio Times* set *d*eledu te *dd*esg papur tebot llaeth	yma?	Ydɥ, mae'r (Yes, the . . . is here)	bag siwt *Radio Times* set *d*eledu te *dd*esg papur tebot llaeth	yma

31

Nac ydŷ, dydŷ'r (*No, the . . . is not here*)	bag siwt *Radio Times* set *d*eledu te *dd*esg papur tebot llaeth	*dd*im yma

2.

Mae'r	papur ci (*dog*) llŷfr (*book*)	yma ar *g*oll		Dydŷ'r	papur ci llŷfr	*dd*im	yma ar *g*oll

3.

Dydŷ'r	tebot llaeth	*dd*im yma		Dydŷ e *dd*im yma (*It isn't here*)

4.

Dydŷ'r	gath (*f*) (*cat*) ffrog (*f*) siwt (*f*) set *d*eledu (*f*)	*dd*im	ar *g*oll yma		Dydŷ hi *dd*im yma

Vocabulary (Geirfa):

drôr (*m*) — drawer
llŷfr (*m*) — book
munud (*m*) — minute
papur (*m*) — paper
peth (*m*) — thing

cadair (y *g*adair) (*f*) — chair
cath (y *g*ath) (*f*) — cat
desg (y *dd*esg) (*f*) — desk
munud (*f*) — minute
noswaith (*f*) — evening
set *d*eledu (*f*) — television set.

ar *g*oll — missing
arhoswch — wait
*b*ob nos — every night
bod — to be
chwaith — either
diolch bŷth — thank goodness
dyma — here is
edrych ar — to look at
od — odd
o *g*wbl — at all
ond — but
siŵr o *f*od — sure to be
wrth *g*wrs — of course

32

Grammar (Gramadeg):

1. Learn:

Ydɥ'r *Radio Times* yma? (*Is the Radio Times here?*)	Ydɥ, mae'r *Radio Times* yma (*Yes, the Radio Times is here*)
	Nac ydɥ, dydɥ'r *Radio Times* ddim yma (*No, the Radio Times isn't here*)

2. The full use of "ydɥ" is dealt with in Unit 20, but note that "ydɥ'r" (with a DEFINITE subject) in the question gives "ydɥ, mae'r" in the affirmative answer.

3. "Ac, nac" are pronounced as "ag, nag".

Exercises (Ymarferion):

1. Complete (Gorffennwch):

    e.g. Ble mae'r *Radio Times*?   Mae e ar *g*oll.

           papur?   . . . .

           ci?   . . . .

           bag?   . . . .

           llɥfr?   . . . .

           car?   . . . .

    e.g. Ble mae'r siwt?   Mae hi ar *g*oll.

        ,,   ffrog?   . . . .

        ,,   gath?   . . . .

    Ble mae'r tebot (*m*)?   . . . .

                          Mae e ar *g*oll.

    Ble mae'r gath (*f*)?   . . . .

                           Mae hi ar *g*oll.

2. Turn the following sentences into the negative. (Trowch y brawddegau yma i'r negyddol):

    e.g. Mae'r *Radio Times* yma.   Dydɥ'r *Radio Times* ddim yma.

          Mae hi ar *g*oll.   Dydɥ hi ddim ar *g*oll.

1. Mae'r llɥfr ar *g*oll.   Dydɥ'r llɥfr ddim ar *g*oll.
2. Mae e ar *g*oll.   Dydɥ e ddim ar *g*oll.
3. Mae'r tebot yn y *g*egin.   Dydɥ'r tebot ddim yn y *g*egin.
4. Mae'r gath ar y gwelɥ.   Dydɥ'r gath ddim ar y gwelɥ.
5. Mae hi wrth y drws.   Dydɥ hi ddim wrth y drws.

6. Mae Huw ar y gadair.	Dydɲ Huw ddim ar y gadair.
7. Mae e yn y tŷ.	Dydɲ e ddim yn y tŷ.
8. Mae Siân yma heno.	Dydɲ Siân ddim yma heno.
9. Mae'r car y tu allan heddiw.	Dydɲ'r car ddim y tu allan heddiw.
10. Mae'r bwɲd yn barod.	Dydɲ'r bwɲd ddim yn barod.

3. Answer the following questions:

Ble mae Huw?
         Nest?   Wn i ddim.
         Gwilɲm?

Ble mae'r car?
         papur?
         gath?

4. Construct sensible sentences containing the following substitutions:

Mae'r gwelɲ
    tebot
    bwrdd   wrth / ar / yn / dan y . . .
    te
    cwpwrdd
    drws

5. Construct sentences containing the following substitutions:

Edrychwch yma
        ar y set deledu
        (at)
    dan y gadair
    wrth y gwelɲ
        yn y drôr
        yn y bag bach
        y tu allan

6. Turn into the affirmative or 'yes' sentences (Trowch i'r cadarnhaol):

Dydɲ Huw ddim yn y gwelɲ.

   . . . .
   Mae Huw yn y gwelɲ.

Dydɲ Nest ddim yn y tŷ.

   . . . .
   Mae Nest yn y tŷ.

Dydɲ'r ffrog ddim yma.

   . . . .
   Mae'r ffrog yma.

Dydɲ'r bwɲd ddim ar y bwrdd.

   . . . .
   Mae'r bwɲd ar y bwrdd.

34

Dyd‍p'r *g*ath *dd*im y tu allan.

. . . .
Mae'r *g*ath y tu allan.

Dyd‍p hi *dd*im ar *g*oll.

. . . .
Mae hi ar *g*oll.

7. Translate (Cyfieithwch):

1.	Is the Radio Times here?	Yd‍p'r *Radio Times* yma?
2.	The Radio Times is missing.	Mae'r *Radio Times* ar *g*oll.
3.	Look at the television set.	Edrychwch ar y set *d*eledu.
4.	The paper isn't here.	Dyd‍p'r papur *dd*im yma.
5.	Is it under the chair?	Yd‍p e dan y *g*adair?
6.	Is it by the desk?	Yd‍p e wrth y *dd*esg?
7.	I don't know.	*W*n i *dd*im.
8.	Where is it?	Ble mae e?
9.	Here, of course.	Yma, wrth *g*wrs.
10.	Wait a minute.	Arhoswch *f*unud.
11.	Here is the milk.	Dyma'r llaeth.
12.	Look in the drawer.	Edrychwch yn y drôr.
13.	The dog is on the chair.	Mae'r ci ar y *g*adair.
14.	The television set isn't here.	Dyd‍p'r set *d*eledu *dd*im yma.
15.	Is the suit on the bed?	Yd‍p'r siwt ar y gwel‍p?
16.	The cat is here.	Mae'r *g*ath yma.
17.	The book is missing this afternoon.	Mae'r ll‍pfr ar *g*oll y prynhawn yma.
18.	Where is the paper tonight?	Ble mae'r papur heno?
19.	Huw is in bed today.	Mae Huw yn y gwel‍p heddiw.
20.	Nest is outside now.	Mae Nest y tu allan nawr.

Activities:

1. Place a series of objects around the room and ask other members of the group where they are etc. Think of one particular object and let the others find out what it is by asking suitable questions.

2. Prepare ten questions. Then place two or three people "in the dock" in class and let them answer in record time.

3. Here I stand. Select one object. Ask as many questions as you can about it and also supply suitable answers.

4. Quick-fire translation. Prepare a series of English sentences based on Units 1-3 and let your partner interpret them orally. If both partners prepare sentences, then they can be interpreted alternately.

35

4. Y stafell ymolchi.

(Mae Huw yn y bath).

Nest: O, dyma chi o'r diwedd.
Huw: Oes tywel yma?
Nest: Oes, mae tywel yn y drôr.
Huw: Oes lliain ymolchi?
Nest: Oes, mae lliain yn y basn.

★ ★ ★

Huw: Gyda llaw, does dim sebon yma.
Nest: Nac oes. Dyma chi.
Huw: A ble mae'r *shampoo*?
Nest: Mae'r *shampoo* wrth y ffenest—fel arfer. Arhoswch *f*unud. Does dim mat ar y llawr.
Huw: Dydɥ'r dŵr *dd*im yn *b*oeth iawn.
Nest: Nac ydɥ, wrth *g*wrs. Does dim tân yma heno.
Huw: Wel, ydɥ'r gwres ymlaen?
Nest: Nac ydɥ, dydɥ e *dd*im yn gweithio.
Huw: Wel, dyma *l*e! Dim tywel, dim mat, dim tân, a dim dŵr poeth. *W*n i *dd*im!
Nest: Nos da, cariad. Rydw *i'n* mɥnd i'r gwelɥ.

4. The bathroom.

(Huw is in the bath).

Nest: Oh, here you are at last.
Huw: Is there a towel here?
Nest: Yes, there is a towel in the drawer.
Huw: Is there a face-cloth (flannel)?
Nest: Yes, there is a cloth in the basin.

★ ★ ★

Huw: By the way, there is no soap here.
Nest: No. Here you are.
Huw: And where is the shampoo?
Nest: The shampoo is by the window—as usual. Wait a minute. There is no mat on the floor.
Huw: The water isn't very hot.
Nest: No, of course. There's no fire here tonight.
Huw: Well, is the heat on?
Nest: No, it isn't working.

Huw: Well, what a place! No towel, no mat, no fire and no hot water. I don't know!
Nest: Good night, love. *I'm* going to bed.

PATTERN PRACTICE

1.

Oes	te tywel lliain ymolchi basn sebon ffenest *shampoo* dŵr poeth mat	yma? yn y stafell ymolchi?		Oes, mae Nac oes, does dim	te tywel lliain ymolchi basn sebon ffenest *shampoo* dŵr poeth mat	yma

2.

Ble mae'r	gwres? bath? drɥch (*mirror*)? brwsh? grib? (*comb*)? brwsh siafio? sebon siafio? brwsh dannedd? past dannedd?

Yn y stafell ymolchi

3.

Ydɥ'r	dŵr yn *b*oeth? grib yma? gwres ymlaen? gwres yn gweithio? tywel yn y drôr? bwɥd yn *b*arod? car allan?

Ydɥ, mae'r	dŵr yn *b*oeth grib yma gwres ymlaen gwres yn gweithio tywel yn y drôr bwɥd yn *b*arod car allan

4.

Dydɥ'r	llaeth llɥfr te ci brwsh	*dd*im yma

Dydɥ e *dd*im yma

Dydɥ'r	siwt ffrog gadair gath grib	*dd*im yma

Dydɥ hi *dd*im yma

5.

Chwiliwch am y	lliain tywel grib brwsh *shampoo*	ar y	llofft (*upstairs*) llawr (*floor*)

37

6.

Dyma Dyna	lwc (*luck*) chi 'r *Radio Times* sebon

7.

Mae	set *d*eledu tân sebon tywel	yn y tŷ ond does dim	cadair gwres crib lliain ymolchi

8.

Mae'r	llyfr papur bag bach ci	ar *g*oll ond dydy'r	*Radio Times* pensil bag mawr (*big*) gath	*dd*im

Vocabulary (Geirfa):

brwsh dannedd (*m*) — toothbrush
brwsh siafio (*m*) — shaving brush
drych (*m*) — mirror
dŵr (*m*) — water
gwres (*m*) — heat
lliain ymolchi (*m*) — face-cloth
past dannedd (*m*) — toothpaste
sebon (*m*) — soap
tân (*m*) — fire

crib, (y grib) (*f*) — comb

llofft (*f*) — upstairs
stafell ymolchi (*f*) — bathroom

chwilio am — to look (search) for
fel arfer — as usual
gweithio — to work
gyda llaw — by the way
o'r diwedd — at last
rydw i — I am
poeth (yn *b*oeth) — hot
ymlaen — on

Grammar (Gramadeg):

1. 'Oes' is used with indefinite subjects in questions such as:

   Oes te yma?
   (*Is there tea here?*)

   Compare the use of 'ydy?' with a definite subject:

   Ydy'r te yma?
   (*Is the tea here?*)

   Remember: 'Oes?' in the question   'Oes' in the answer.
   'Ydy?' in the question   'Ydy' in the answer.

38

2. Note the position of the following forms in a negative sentence:
   (a) Does dim te yma.
      (There is no tea here).
   (b) Dydy'r te *dd*im yma.
      (The tea is not here).

      Dydy e *dd*im yma.
      (It isn't here).

   In (a) 'dim' comes before the indefinite subject, 'te'.
   In (b) '*dd*im' comes after the definite subject, 'te'.

3. It is important to master the responses to statements:
   e.g. (1) Mae te yn y tebot = Oes (Question = Oes e? (*Is there?*)
        (2) Does dim te yn y tebot = Nac oes
        (3) Mae'r te'n *b*oeth = Ydy (Question = Ydy e? (*Is it?*))
        (4) Dydy'r tywel *dd*im yma = Nac ydy

4. Note the use of the connecting (or complemental) 'yn'
   e.g. (a) Mae Huw yn *cysgu* (participle—no mutation)
            (Huw is sleeping)
        (b) Ydy'r bwyd yn *b*arod? (the adjective takes the soft mutation—except 'll' and 'rh')
            (Is the food ready?)
        (c) Mae Huw yn *f*achgen da. (indefinite noun + soft mutation)
            (Huw is a good boy.)
        (d) But distinguish between the connecting 'yn' in the above examples and the preposition 'yn'
            e.g. yn y gwely (in bed)

Exercises (Ymarferion):

1. Give affirmative answers to the following questions (Atebwch y cwestiynau yma'n *g*adarnhaol):

1. Oes tywel yn y drôr?

   . . . .
   Oes, mae tywel yn y drôr.

2. Oes lliain ymolchi yma?

   . . . .
   Oes, mae lliain ymolchi yma.

3. Oes mat ar y llawr?

   . . . .
   Oes, mae mat ar y llawr.

4. Oes *shampoo* wrth y ffenest?

   . . . .
   Oes, mae *shampoo* wrth y ffenest.

5. Ydy'r tywel yma?

   . . . .
   Ydy, mae'r tywel yma.

6. Ydy'r gwres ymlaen?

   . . . .
   Ydy, mae'r gwres ymlaen.

7. Ydy e'n gweithio?

   . . . .
   Ydy, mae e'n gweithio.

39

8. Ydy'r dŵr yn *boeth*?

....

Ydy, mae'r dŵr yn *boeth*.

2. Give negative answers (Atebwch y cwestiynau yma'n negyddol):

1. Oes crib yma? (long 'i')

....

Nac oes, does dim crib yma.

2. Oes brwsh wrth y drych?

....

Nac oes, does dim brwsh wrth y drych.

3. Oes lliain ymolchi yn y stafell?

....

Nac oes, does dim lliain ymolchi yn y stafell.

4. Oes mat ar y llawr?

....

Nac oes, does dim mat ar y llawr.

5. Ydy'r *shampoo* yn y cwpwrdd?

....

Nac ydy, dydy'r *shampoo* *dd*im yn y cwpwrdd.

6. Ydy'r tywel ar *g*oll?

....

Nac ydy, dydy'r tywel *dd*im ar *g*oll.

3. Translate (Cyfieithwch):

1. Is there a towel here?	Oes tywel yma?
2. There is soap in the drawer.	Mae sebon yn y drôr.
3. Where is the face-cloth (flannel)?	Ble mae'r lliain-ymolchi?
4. Here you are.	Dyma chi.
5. The water isn't very hot.	Dydy'r dŵr *dd*im yn *boeth* iawn.
6. Oh! wait a minute.	O! arhoswch *f*unud.
7. There isn't a mat on the floor.	Does dim mat ar y llawr.
8. There isn't a fire here tonight.	Does dim tân yma heno.
9. Is the heat on?	Ydy'r gwres ymlaen?
10. The cat is missing today.	Mae'r *g*ath ar *g*oll heddiw.
11. Where is the dog this afternoon?	Ble mae'r ci y prynhawn yma?
12. Look for the comb now.	Chwiliwch am y *g*rib nawr.
13. The shaving brush is here but the toothbrush isn't.	Mae'r brwsh siafio yma ond dydy'r brwsh dannedd *dd*im (yma).
14. There is a big fire in the room.	Mae tân mawr yn y stafell.

Activities:

1. Imagine that you are having a bath. Act out the situation. Make as much use of real objects as possible.
2. Make a pictorial representation of the situation using match-stick figures.
3. Treasure! Supply the numbers of the class with lists of missing treasure which has been placed in different parts of the room. The members walk around and record where the treasure is. Who will find the treasure most speedily? Then allow the members to describe where they found each object.
4. A short dictation.
5. Prepare a class quiz based on Units 1-4.

UNED (UNIT) 5

5. Y dosbarth nos.

Beti: Esgusodwch fi. Ble mae'r dosbarth Cymraeg?

Mr. Tomos: Mae e yn y stafell yma. Dewch i mewn.

Beti: Diolch yn fawr.

Mr. Tomos: Does dim neb yma eto. Mae hi'n gynnar.

Beti: Ydɥ. Dydɥ hi ddim yn saith eto.

Mr. Tomos: Beth ydɥ'ch enw chi?

Beti: Beti Jones ydɥ f'enw i. *Mrs.* Beti Jones.

Mr. Tomos: Ydɥch chi'n bɥw yn Aberdâr?

Beti: Ydw, ers (*since*) blwɥddɥn.

Mr. Tomos: Rydɥch chi'n siarad Cymraeg yn dda.

Beti: Rydw i'n siarad tipɥn bach bob dɥdd.

Mr. Tomos: Ydɥ'r gŵr yn siarad Cymraeg?

Beti: Nac ydɥ, ond mae e'n deall ychydig. Mae e'n gwɥlio'r teledu, ac mae e'n gwrando ar y newyddion Cymraeg.

Mr. Tomos: O da iawn. Ydɥch chi'n darllen Cymraeg o gwbl?

Beti: Rydw i'n darllen *Y Cymro* a'r *Faner*★ weithiau.

5. The evening class.

Beti: Excuse me. Where's the Welsh class?

Mr. Thomas: It's in this room. Come in.

Beti: Thank you very much.

Mr. Thomas: There's nobody here yet. It's early.

Beti: Yes. It isn't seven yet.

Mr. Thomas: What's your name?

Beti: My name is Beti Jones. *Mrs.* Beti Jones.

Mr. Thomas: Are you living in Aberdare?

Beti: Yes, a year.

Mr. Thomas: You speak Welsh well.

Beti: I speak a little every day.

Mr. Thomas: Does your husband (the husband) speak Welsh?

Beti: No, but he understands (he is understanding) a little. He watches television, and he listens to the Welsh news.

Mr. Thomas: Oh, very good. Do you read (Are you reading) Welsh at all?

Beti: I read the 'Cymro' (The Welshman) and 'Y Faner' (the Banner) sometimes.

★ two weekly Welsh newspapers.

Mr. Tomos:	Ardderchog. Wel, mae hi'n saith o'r gloch. Hwɥl fawr i chi, Mrs. Jones.	Mr. Thomas:	Excellent. Well, it's seven o'clock. Good luck to you, Mrs. Jones.
Beti:	Diolch yn fawr, Mr. Tomos.	Beti:	Thank you very much, Mr. Thomas.

PATTERN PRACTICE

1.

Ydɥch chi'n? (*Are you?*)	Ydw, rydw i'n . . . (*Yes, I am . . .*) Nac ydw . . . (*No. . . .*)

2.

Ydɥch chi'n	deall darllen gallu siarad dysgu (*learning*)	Cymraeg? Saesneg? (*English*)		Ydw, rydw i'n	deall darllen gallu siarad dysgu	Cymraeg Saesneg

3.

Rydw i'n bɥw yn	Aberdâr Llandudno Sir Fôn (*Anglesey*) y wlad (*the country*) y de (*the South*) y gogledd (*the North*)

Ble rydɥch *chi'n* bɥw?

4.

Ydɥ Huw yn	y dosbarth nos? y stafell ymolchi nawr? y gwelɥ heno?

Ydɥ, mae e Nac ydɥ, dydɥ e *dd*im

5.

Morlais Evans John Jones Huw Davies	ydɥ f'enw i

Beth ydɥ'ch enw *chi*?

42

6.

Mae Nest yn	gwrando ar y newyddion gweithio yn y gegin medru siarad Cymraeg bɥw yn Aberystwɥth		Dydɥ Nest *dd*im yn . . .

7.

Oes	cɥlchgrawn llɥfr papur gwelɥ radio newyddion	yma?		Oes, mae . . . yma Nac oes, does dim . . . yma

8.

Ble	mae	Llandudno? John Jones? Aberdâr? Llanfairpwllgwɥngɥll?	
		'r	*g*ath? llyfrau?

9.

Croeso i'r	dosbarth nos *g*egin llyfrgell stafell tɥ̂ Eisteddfod coleg (*college*) capel (*chapel*) *d*re (*town*)
Croeso i	Aberystwɥth *G*oleg Harlech

Diolch yn *f*awr

Vocabulary (Geirfa):

capel (*m*) — chapel
coleg (*m*) — college
dosbarth nos (*m*) — evening class
dɥdd (*m*) — day
enw (*m*) — name
gŵr (*m*) — husband
llɥfr-au (*m*) — book(s)
y de (*m*) — the south
y gogledd (*m*) — the north

blwɥddɥn (y flwɥddɥn) (*f*) — a year
Cymraeg (*f*) — Welsh
gwlad, (y wlad) (*f*) — country
lwc (*f*) — luck
llyfrgell (*f*) — library
radio (*f*) — radio
Saesneg (*f*) — English
Sir Fôn (*f*) — Anglesey
tre(f), (y dre(f) (*f*) — town

Aberdâr — Aberdare

ardderchog — excellent
pob — every
Croeso — Welcome
cynnar, yn gynnar — early
da, yn dda — well
darllen — to read
deall — to understand
dysgu — to learn
ers — since
esgusodwch f i — excuse me
fy (f') — my
gallu — to be able ('medru' in N. W.)
gwrando ar — to listen to
gwɥlio — to watch
hwɥl fawr — good luck
medru (gallu) — to be able
neb — no one, nobody
newyddion — news
siarad — to talk, speak
tipɥn bach — a little
weithiau — sometimes
ychydig — a little

Grammar (Gramadeg):

1. "Fy" (my) is condensed to "f'" before a vowel. e.g. f'enw i (my name).

2. The adjective is placed after the noun in Welsh (with a few exceptions)

   e.g. bag bach   lwc *dd*a
         (a small bag)   (good luck)

   Notice that in 'lwc *dd*a' 'da' becomes '*dd*a' because an adjective following a *feminine* singular noun takes the soft mutation. Also note the soft mutation after 'yn' in 'yn *dd*a'.

3. The sentence "Morlais Jones ydɥ f'enw" i (Morlais Jones is my name) (an emphatic sentence) can be re-written with a different emphasis: "F'enw i ydɥ Morlais Jones."

4. There are no Welsh equivalents of the English forms 'a' and 'any'.

5. Final unaccented 'au' (i.e. llyfr*au*, weithi*au*) is pronounced as 'e' in South Wales and as 'a' in North Wales.

6. Listen to —'gwrando ar' in Welsh.

Exercises (Ymarferion):

1. Answer with 'yes' answers (Atebwch y cwestiynau yma'n gadarnhaol):
   1. Ydɥch chi'n deall ychydig? . . . .
      Ydw, rydw i'n deall ychydig.
   2. Ydɥch chi'n gallu siarad tipɥn bach? . . . .
      Ydw, rydw i'n gallu siarad tipɥn bach.
   3. Ydɥch chi'n gwrando ar y newyddion? . . . .
      Ydw, rydw i'n gwrando ar y newyddion.
   4. Ydɥch chi'n bɥw yn Aberdâr? . . . .
      Ydw, rydw i'n bɥw yn Aberdâr.
   5. Ydɥ Beti Jones yn darllen papurau
      Cymraeg?
      . . . .
      Ydɥ, mae Beti Jones yn darllen papurau
      Cymraeg.
   6. Ydɥ hi'n deall popeth? . . . .
      Ydɥ, mae hi'n deall popeth.

2. Turn into the affirmative forms (Trowch i'r ffurf gadarnhaol):
   e.g. Dydw i *dd*im yn deall popeth.   Rydw i'n deall popeth.

   Dydw i *dd*im yn bɥw yn Llanfairpwllgwɥngɥll.
   Dydw i *dd*im yn gwrando ar y radio yn y nos.
   Dydw i *dd*im yn dysgu darllen.

   Dydɥ Nest *dd*im yna.
   Dydɥ hi *dd*im yn *b*arod nawr.
   Dydɥ'r papur *dd*im ar y *g*adair.

   Does dim newyddion ar y teledu y prynhawn yma.
   Does dim te yn y tebot y bore yma.
   Does dim llyfrgell yn y *w*lad.
   Does dim dŵr yn y tap.

3. Translate (Cyfieithwch):
   1. I am living in the north.   Rydw i'n bɥw yn y gogledd.
   2. Is Nest in the evening class tonight?   Ydɥ Nest yn y dosbarth nos heno?
   3. There is no soap in the bathroom.   Does dim sebon yn y stafell ymolchi.
   4. Where are the books now?   Ble mae'r llyfrau nawr?
   5. David Davies is my name.   David Davies ydɥ f'enw i.
   6. Is there a shaving brush here?   Oes brwsh siafio yma?
   7. I don't live in the town.   Dydw i *dd*im yn bɥw yn y *d*re.
   8. Huw doesn't work in the south.   Dydɥ Huw *dd*im yn gweithio yn y de.
   9. Nest is working in the kitchen.   Mae Nest yn gweithio yn y *g*egin.
   10. There isn't a towel upstairs.   Does dim tywel ar y llofft.
   11. The cat is missing.   Mae'r *g*ath ar *g*oll.
   12. The dog is by the door.   Mae'r ci wrth y drws.

Activities:

1. Place an object in different parts of the room and let the members decide where it will be or has been put. e.g. Ble rydw i'n mynd i roi'r llyfr? (Where am I going to put the book?) or Ble mae'r pwrs? (Where's the purse?)

2. Ask each other questions in twos. Then introduce your partner to the rest of the class as if you were introducing a celebrity. Get the members to know each other.

3. Prepare a series of statements about various members of the class and supply each member with a copy. e.g. Mae e'n byw yn y Stryd Fawr. Mae hi'n hoffi mynd i'r gogledd etc. The members will have to find to whom each of the sentences refers by confrontation.

4. Pretend that you are a well-known political or television personality. Let another member of the group conduct an interview.

5. Who am I? (Pwy ydw i?) Suggest who you are by means of an appropriate mime or caricature and let the class guess. e.g. Smoke a pipe: "Y Prif Wein-idog Wilson(?) ydych chi."

6. Gwɥlio'r Teledu.

Nest: Ble mae'r *T.V. Times*?
Huw: Dyma fe.
Nest: Oes rhɥwbeth da ar y teledu heno?
Huw: Oes, rhaglen ar sbort.
Nest: Sbort! Sbort! Dydw i *dd*im yn hoffi sbort o gwbl.
Huw: Rydɥch chi'n gwɥlio tenis o hɥd.
Nest: Ydw, rydw i'n hoffi gwɥlio tenis. Rydw i'n *deall* tenis.
Huw: Rydɥch chi'n hoffi paffio hefɥd.
Nest: Nac ydw. Ych y *f*i!

* * * * * * *

Nest: Mae drama *dd*a ar *I.T.V.* nawr.

Huw: Dydw i *dd*im yn hoffi drama sentimental *b*ob nos.
Nest: Dydw i *dd*im yn hoffi sbort *b*ob nos chwaith.
Huw: Rydw i'n mɥnd i *w*eld Gwilɥm drws nesa, 'te.
Nest: Pam?
Huw: Pam *l*ai? Mae *e'*n gwɥlio sbort, siŵr o *f*od.
Nest: Arhoswch *f*unud, Huw.
Huw: Rydw i'n mɥnd. Da boch chi.
Nest: O! Huw!

6. Watching Television.

Nest: Where is the T.V. Times?
Huw: Here it is.
Nest: Is there something good on television tonight?
Huw: Yes, a programme on sport.
Nest: Sport! Sport! I don't like sport at all.
Huw: You watch tennis all the time.
Nest: Yes, I like watching tennis. I understand tennis.
Huw: You also like boxing.
Nest: No, I don't. Ugh!

* * * * * * *

Nest: There is a good play on I.T.V. now.

Huw: I don't like a sentimental play every night.
Nest: *I* don't like sport every night either.
Huw: I'm going next door to **see** Gwilɥm, then.
Nest: Why?
Huw: Why not? He is sure to be watching sport.
Nest: Wait a minute, Huw.
Huw: I'm going. Cheerio!
Nest: Oh! Huw!

PATTERN PRACTICE

1.

Ydɥch chi'n hoffi gwɥlio	sbort? tenis? paffio? drama? ffilm? 'r teledu? 'r newyddion?

Nac ydw, dydw i *dd*im yn hoffi

2.

Dydw i *dd*im yn	pacio gweithio deall Ffrangeg (*French*) deall Rwsieg (*Russian*) gwrando ar y *Beatles* benthyca llyfrau gallu siarad Sbaeneg (*Spanish*)

Dydw *i dd*im chwaith (*Neither do I*)

3.

Rydw i'n mɥnd	i'r	gwelɥ stafell ymolchi *d*re dosbarth nos
Dydw i *dd*im yn mɥnd	i	siopa *w*ɥlio'r teledu
	drws nesa	

4.

Oes	drama paffio sbort tenis dadl sgwrs	ar *ITV* henọ?

5.

	ar y	teledu? radio?
Oes rhɥwbeth da	yn y	papur? *Radio Times*?
	i	*f*recwast (*for breakfast*)? ginio (*for lunch*)? *d*e (*for tea*)? swper (*for supper*)?

Oes, mae . . . Nac oes, does dim . . .

48

6.

Mae Does dim	rhaglen (*f*) (*programme*) sgwrs (*f*) (*discussion*) dadl (*f*) (*debate*)	*dd*a ar y	radio teledu	heddiw heno nawr *b*ob nos

7.

Ble mae'r	sbort? papur? ffrog? *g*adair? lliain? cwpwrdd?

8.

Dyma	chi lwc fe 'r *Radio Times* 'r papur

9.

Mae Gwilɥm yn	hoffi gwɥlio	sbort golff criced pêl-*d*roed (*football*) rygbi rasɥs ceffylau (*horse races*)

10.

Ydɥ Dai'n hoffi	gweithio? pacio? siarad Cymraeg? benthyca llyfrau o'r llyfrgell?

Ydɥ Nac ydɥ

11.

Dydɥ e *dd*im	wrth y *dd*esg yn gwɥlio'r gêm yma yn bɥw yn Aberystwɥth

49

12.

Dydy hi *dd*im yn hoffi	te coffi llaeth siwgr	o gwbl (*at all*)

Vocabulary (Geirfa):

cinio (*m*) — lunch, dinner
criced (*m*) — cricket
golff (*m*) — golf
paffio (*m*) — boxing
rhywbeth (*m*) — something
rygbi (*m*) — rugby
sbort (*m*) — sport
tenis (*m*) — tennis

brecwast (*f*) — breakfast
dadl (*f*) — debate
drama (y *dd*rama) (*f*) — drama
ffilm (*f*) — film
pêl-*d*roed (*f*) — football

Sbaeneg (*f*) — Spanish
sgwrs (*f*) — discussion, chat
rasys ceffylau (*f*) — horse-races

benthyca — to borrow
chwaith — either
da boch chi — cheerio
dyna fe — that's it (him)
hoffi — to like
nesa — next
o hyd — all the time
pam *l*ai? — why not?
siopa — to do the shopping
ych y *f*i! — ugh!

Gramadeg (Grammar):

Notice the soft mutation in the following examples:

(a) i'r *d*re (a feminine singular noun after the article takes the soft mutation).
ble mae'r *g*adair?
wrth y *dd*esg.

(b) i *f*recwast
i *g*inio   } soft mutation after 'i', b > f; c > g; t > d.
i *d*e

(c) Learn:

Ydych chi'n . . .? (*Are you . . . ?*)	Ydw, rydw i'n . . . (*Yes, I'm . . .*) Nac ydw, dydw i *dd*im yn . . . (*No, I'm not . . .*)

(d) Note:

> Mae Huw yn mуnd *i weld* Gwilуm.
> (Huw is going *to see* Gwilуm).
> 'i' expresses purpose and takes the soft mutation.

Exercises (Ymarferion):

1. Give negative answers to the following questions (Atebwch y cwestiynau yma'n negyddol)

1. Ydуch chi'n hoffi sbort?

   Nac ydw, dydw i *dd*im yn hoffi sbort.

2. Ydуch chi'n gwrando ar y newyddion?

   Nac ydw, dydw i *dd*im yn gwrando ar y newyddion.

3. Ydуch chi'n gwуlio criced?

   Nac ydw, dydw i *dd*im yn gwуlio criced.

4. Ydуch chi'n mуnd drws nesa?

   Nac ydw, dydw i *dd*im yn mуnd drws nesa.

5. Oes drama am wуth o'r *g*loch?

   Nac oes, does dim drama am wуth o'r *g*loch.

6. Oes dosbarth nos yn Aberdâr?

   Nac oes, does dim dosbarth nos yn Aberdâr.

7. Oes paffio ar y *B.B.C.*?

   Nac oes, does dim paffio ar y *B.B.C.*

2. Change these sentences into the Affirmative (Trowch y brawddegau yma i'r cadarnhaol) e.g. Dydw i *dd*im yn deall Ffrangeg. Rydw i'n deall Ffrangeg.

1. Dydw i *dd*im yn hoffi'r rhaglen.
2. Dydw i *dd*im yn gallu siarad Sbaeneg.
3. Dydw i *dd*im yn gweithio yn y tŷ.
4. Does dim gwresogуdd yn y stafell.
5. Does dim lliain ar y bwrdd.
6. Does dim ffilm *dd*a yn y dre.
7. Dydу Huw *dd*im yn barod.
8. Dydу'r ci *dd*im wrth y drws nawr.
9. Dydу Beti Jones *dd*im yn bуw yn Sir *F*ôn.
10. Dydу e ar *g*oll.
11. Dydу hi'n *b*oeth yma.

51

3. Translate (Cyfieithwch):

1. Do you like watching tennis?

....
Ydʃch chi'n hoffi gwʃlio tenis?

2. I don't listen to the Beatles.

....
Dydw i *dd*im yn gwrando ar y *Beatles*.

3. Is there something good for tea?

....
Oes rhʃwbeth da i *de*?

4. There is a good discussion on the television.

....
Mae sgwrs *dd*a ar y teledu.

5. Where is the frock? Here it is.

....
Ble mae'r ffrog? Dyma hi.

6. Gwilʃm is watching football in town.

....
Mae Gwilʃm yn gwʃlio pêl-*d*roed yn y *d*re.

7. Is Dai working today?

....
Ydʃ Dai'n gweithio heddiw?

8. He isn't at the horse races.

....
Dydʃ e *dd*im yn y rasʃs ceffylau.

9. She doesn't like milk at all.

....
Dydʃ hi *dd*im yn hoffi llaeth o *g*wbl.

Activities:

1. Study the dialogue in twos and play out the conversation between Huw and Nest. Learn as much of the dialogue as you can and after mastering the constructions, use appropriate material from the Pattern Practice Tables to form new sentence combinations.

2. Household Challenge. Form couples, one giving an affirmative statement and the other the negative form (with suitable gestures!)

   e.g.　A.　Mae ffilm ar y teledu.
   　　　 B.　Does dim ffilm.

   　　　 A.　Rydw i'n mʃnd i siopa.
   　　　 B.　Dydw i *dd*im yn mʃnd i siopa, beth bynnag.

3. Find out as much as you can about your conversation partner and tell the rest of the group all you know about him.

4. Complete the dialogue of Unit 6.

1. Mae Huw yma.   Huw is here.
   Ble mae Huw?   Where is Huw?
   *Fan yma. Mae Huw yma.   Here. Huw is here. (in this place)
   Mae e yma.   He is here.

                  ★   ★   ★   ★   ★   ★   ★

   Ble mae Nest?   Where is Nest?
   *Fan acw. Mae Nest acw.   There. Nest is there. (in that place)
   Mae hi acw.   She is there.

                  ★   ★   ★   ★   ★   ★   ★

   Dacw Nest.   There's Nest (far away)
   Dyna'r dɥn.   That's the man.
   Dyma Huw a Nest.   Here are Huw and Nest.

                  ★   ★   ★   ★   ★   ★   ★

   Ble mae'r bws?   Where's the bus?
   Ar y ffordd. Mae'r bws ar y ffordd.   On the road. The bus is on the road.

2. Mae Huw yn y tɥ̂.   Huw is in the house.
   Ydɥ Huw (e) yn y tɥ̂?   Is Huw (he) in the house?
   Ydɥ, mae Huw (e) yn y tɥ̂.   Yes, Huw (he) is in the house.

   Mae Nest ar y ffôn.   Nest is on the telephone.
   Ydɥ Nest ar y ffôn?   Is Nest on the telephone?
   Ydɥ, mae Nest ar y ffôn.   Yes, Nest is on the telephone.

   Mae'r car wrth y drws.   The car is by the door.
   Ydɥ'r car wrth y drws?   Is the car by the door?
   Ydɥ, mae'r car wrth y drws.   Yes, the car is by the door.

3. Ydɥ Nest yn y *gegin?   Is Nest in the kitchen?
   Nac ydɥ, dydɥ Nest (hi) *ddim yn y   No, Nest (she) isn't in the kitchen.
     *gegin.
   Ydɥ'r bachgen drwg ar *goll?   Is the naughty boy missing?
   Nac ydɥ, dydɥ'r bachgen drwg *ddim   No, the naughty boy isn't missing.
     ar *goll.

53

4. Mae bwɥd yn y fasged.
Oes bwɥd yn y fasged?
Oes, mae bwɥd yn y fasged.

Does dim llyfrau Cymraeg yno.
Oes llyfrau Cymraeg yno?
Nac oes, does dim llyfrau Cymraeg
yno.

There's food in the basket.	

There's food in the basket.
Is there any food in the basket?
Yes, there is food in the basket.

There are no Welsh books there.
Are there any Welsh books there?
No, there aren't any Welsh books there.

5. Rydw i'n dysgu Cymraeg.
Ydɥch chi'n dysgu Cymraeg?
Ydw, rydw i'n dysgu Cymraeg.
Nac ydw, dydw i ddim yn dysgu
Cymraeg.

I'm learning Welsh.
Are you learning Welsh?
Yes, I'm learning Welsh.
No, I am not learning Welsh.

6. Rydw i'n bɥw yn Aberaeron.
Ble rydɥch chi'n bɥw?
Yn Aberaeron. Rydw i'n bɥw yn
Aberaeron.

I live at Aberayron.
Where do you live?
At Aberayron. I live at Aberayron.

Tom Jones ydɥ f'enw i.
Beth ydɥ'ch enw chi?

Tom Jones is my name.
What is your name?

7.   **Affirmative**

Mae'r dŵr yn boeth.
Mae Huw yn y gwelɥ.
Mae e'n (hi'n) gweithio.
Mae mat ar y llawr.
Rydw i'n deall popeth.

Negative

Dydɥ'r dŵr ddim yn boeth.
Dydɥ Huw ddim yn y gwelɥ.
Dydɥ e (hi) ddim yn gweithio.
Does dim mat ar y llawr.
Dydw i ddim yn deall popeth.

8.   **Cue Sentence**

Mae'r gêm ar y teledu.
Mae Huw yn hoffi drama.
Dydɥ Nest ddim yn mɥnd i siopa.
Dydɥ'r ddadl ddim ar y radio.
Mae ffilm dda yn y sinema.
Does dim paffio heno.
Rydɥch chi'n gwɥlio bob nos.
Dydɥch chi ddim yn mɥnd i'r dos-
barth nos.

Response

Ydɥ.
Ydɥ.
Nac ydɥ.
Nac ydn.
Oes.
Nac oes.
Ydw.
Nac ydɥ.

Rydw i'n darllen y chlcngrawn *bob*   Ydɥch.
  mis.
Dydw i *dd*im yn bɥw yn Aberystwɥth.   Nac ydɥch.

Exercises (Ymarferion):

1. Construct similar groups of sentences (orally) based on the following:
    (1) Mae Huw ar y ffordd.
         Mae e ar y ffordd.
         Ydɥ e ar y ffordd? Ydɥ.

    (2) Mae Nest yn siopa.
         Mae hi'n siopa.
         Ydɥ hi'n siopa? Ydɥ.

    (3) Dydɥ Dilɥs *dd*im yma.
         Dydɥ hi *dd*im yma.
         Ydɥ hi yma? Nac ydɥ.

    (4) Dydɥ Tomi *dd*im yn *f*achgen drwg.
         Dydɥ e *dd*im yn *f*achgen drwg. Nac ydɥ.
         Dydɥ Nansi *dd*im yn *b*arod.
         Dydɥ hi *dd*im yn *b*arod. Nac ydɥ.

    (5) Ydɥch chi'n hoffi llaeth? Ydw.
         Ydɥch chi'n benthyca llyfrau? Nac ydw.

    (6) Dydw i *dd*im yn *f*achgen drwg.
         Dydw i *dd*im yn mɥnd i siopa.

    (7) Dydɥ Huw *dd*im drws nesa.
         Dydɥ Nest *dd*im yn *b*rysur.

    (8) Does dim llaeth ar y bwrdd.
         Dydɥ'r brwsh siafio *dd*im yn y stafell ymolchi.

2. Construct sentences using all patterns already studied to show that you have mastered the statement / response. e.g. Mae e yn y bath. Ydɥ.

3. Construct affirmative sentences followed immediately by their negative equivalents using all the patterns already mastered.

4. Enact day-to-day situations using the constructions already learnt.

5. Revise all the *phrases* in Units 1-6 and use them in sentences.

55

Grammar (Gramadeg):

A. The use of/Mae

'Mae' is always followed by its subject, never preceded. If the subject is placed first, then 'mae' cannot be used.

'Mae' can only be used when the complement is a
- (i) participle.
- (ii) adjective.
- (iii) adverb.
- (iv) prepositional phrase.
- (v) indefinite noun.

The following are examples.

(i) Mae Tom yn cysgu.
Tom is sleeping (participle).

(ii) Mae Tom yn *g*aredig.
Tom is kind (adjective).

(iii) Mae Tom yma.
Tom is here (adverb).

(iv) Mae Tom yn y garej.
Tom is in the garage (prepositional phrase).

(v) Mae Tom yn *f*eddyg.
Tom is a doctor (indefinite noun).

B. Note.

(a) the use of 'Mae' with a definite subject:

Mae'r car yn y garej.
The car is in the garage.

(b) with an indefinite subject.

Mae car yn y garej.
There is a car in the garage.

(c) Also note that although the subject is a plural noun, the verb still remains in the Third Person Singular.

Mae'r bechgyn yn y dosbarth.   Mae'r bachgen yn y dosbarth.
The boys are in the class.   The boy is in the class.

(d) 'Mae' is the verb form used when the complement (placed first) is
- (i) a participle
- (ii) an adverb
- (iii) a prepositional phrase

e.g. (i) Darllen mae Huw.
    (ii) Acw mae Nest.
    (iii) Yn y gwaith mae Huw.

(e)

Affirmative	**Question**	**Negative**
Mae	Ydꝑ? (with definite subject)	Dydꝑ (with definite subject)
	Oes? (with indefinite subject)	Does (with indefinite subject)

The use of /Oes

1. In an interrogative sentence with an indefinite subject

    e.g. Oes bwꝑd yma?   Oes llyfrau yna?
            Is there food here?   Are there books there?

    Answer: "Oes, mae" or "Nac oes, does dim"

2. In a negative sentence with an indefinite subject

    e.g. Does dim glo ar y tân.
            There's no coal on the fire.

3. 'Oes' with an indefinite pronoun

    e.g. Does dim digon / llawer ar ôl.
            There isn't enough / much left.
            Does neb yma.
            There's no one here.

4. 'os' (if) is followed by 'oes' + an indefinite subject

    e.g. . . . os oes lle.
            . . . if there is room.
    (negative — os nad oes (lle) — if there isn't (room).

7. Mɥnd allan i swper.

Nest:	Rydɥn ni'n mɥnd allan i swper.
Huw:	O! Ydɥn ni?
Nest:	Ydɥn, rydɥn ni'n mɥnd gyda Tom a Maɪr.
Huw:	I ble?
Nest:	I'r Ceffɥl Gwɥn.
Huw:	Prɥd?
Nest:	Am saith o'r gloch.
Huw:	Ydɥn ni'n mɥnd yn y *Mini*?
Nest:	Nac ydɥn, rydɥn ni'n mɥnd yn y *Triumph* gyda Tom. Brysiwch
Huw:	Dydɥn ni *dd*im yn hwɥr.
Nest:	Ydɥn. Mae hi'n chwarter i saith.
Huw:	Sh! Mae Tom yna.
Nest:	Rydɥn ni'n dod nawr, Tom.
Huw:	Dewch i mewn. Rydɥn ni bron yn *b*arod.
Tom:	Sut rydɥch chi'ch dau?
Nest:	O! gweddol, diolch.
Huw:	Wisgi?
Tom:	Wel, dim ond un bach 'te.
Nest:	Byddwch yn *o*falus, Tom. Mae'r heddlu'n gwɥlio'r Ceffɥl Gwɥn.
Tom:	Rydɥn ni'n gwɥbod hynnɥ. Dydɥn ni *dd*im yn gyrru ac yn yfed!

7. Going out to supper.

Nest:	We are going out to supper.
Huw:	Oh! Are we?
Nest:	Yes, we are going with **Tom** and Mair.
Huw:	Where to?
Nest:	To the White Horse.
Huw:	When?
Nest:	At seven o'clock.
Huw:	Are we going in the Mini?
Nest:	No, we are going in the Triumph with Tom. Hurry.
Huw:	We aren't late.
Nest:	Yes, we are. It's a quarter to seven.
Huw:	Sh! Tom is there.
Nest:	We are coming now, Tom.
Huw:	Come in. We are nearly ready.
Tom:	How are you two?
Nest:	Oh! fair, thanks.
Huw:	Whisky?
Tom:	Well, only a little one then.
Nest:	Be careful, Tom. The police are keeping watch on the **White Horse**.
Tom:	We know that. We don't drive and drink!

PATTERN PRACTICE

1.

Rydɥn ni'n	mɥnd allan i swper mɥnd yn y *Mini* dod nawr gweithio pacio

58

2.

| Ydɥch chi'n | gwrando ar y newyddion?
gwɥlio'r teledu? | | Ydɥn, rydɥn ni'n . . . |
| | mɥnd | allan i de?
i'r Ceffɥl Gwɥn?
gyda Tom? | |

3.

| Nac ydɥn, dydɥn ni ddim yn | barod
hwɥr
mɥnd i'r dre
benthyca llyfrau |

4.

| Dydɥn ni ddim yn | hoffi coffi
deall popeth
siarad Sbaeneg
gallu darllen Rwsieg |

5.

| Ydɥ e'n / hi'n | mɥnd

dod | bob nos?
yn y car?
yn y bws?
i swper yn y Ceffɥl Gwɥn?
am saith o'r gloch?
nawr?
y prynhawn yma?
heddiw?
heno? |

6.

| I ble mae | e'n | mɥnd? | I'r | tŷ
ysgol
siop
llyfrgell
wlad
ysbytɥ (hospital) |
| | | | I | Sir Fôn
Abertawe (Swansea) |

59

7.

'Am' — 'Am' (at) denotes time and takes the soft mutation.

Prŷd	mae	brecwast? cinio? te? swper?	Am	wŷth naw ddeg un ddau dri bedwar bump chwech saith	o'r gloch
		Am wŷth, rydw i'n meddwl Nawr, gobeithio Mae cinio am un Am bedwar mae te Wn i ddim			

8.

Mae	Tom Huw cwpan (cup) soser llwŷ cyllell fforc	yma yna acw (there, in the distance)

9.

Oes rhŷwbeth	am saith o'r gloch? yn y Ceffŷl Gwŷn? yn y Mini? ar y radio?

10.

Rydw i (I am) Mae Huw (Huw is) Mae Nest (Nest is) Mae e (He is) Mae hi (She is) Rydŷn ni (We are) Rydŷch chi (You are)

60

Vocabulary (Geirfa):

Abertawe — Swansea
dau (*m*) — two
wisgi (*m*) — whisky
Y Ceffṗl Gwṗn (*m*) — The White Horse

rydṗn ni — we are
dydṗn ni *dd*im — we aren't
ydṗn ni? — are we?
gwṗbod — to know (a fact)
gyrru — to drive
meddwl — to think
yfed — to drink
acw — there (distant), yonder
yna — there (not distant). Also 'then'.

am — at, for
gyda — with (in the company of (colloquially 'da in S. Wales)
heddlu (polîs) — police
prṗd? — when?
i ble? — where to?
bron — nearly
byddwch yn *o*falus — be careful
chwarter — quarter
digon, yn *dd*igon — enough
eich — your (pronounced 'ych')
hynnṗ — that (demonstrative)
saith o'r *g*loch — seven o'clock
sh! — hush

Grammar (Gramadeg):

1. Learn:

Ydṗn ni? (*Are we?*)	Ydṗn, rydṗn ni . . . (*Yes, we are . . .*)
	Nac ydṗn, dydṗn ni *dd*im . . . (*No, we aren't . . .*)

2. Note the contraction of "chi *eich* dau" to "chi'ch dau" (See Grammar Section, Unit 10)

Exercises (Ymarferion):

1. Give plural 'yes' answers (Atebwch):

   1. Ydṗch chi'n mṗnd allan i swper? . . . .
      Ydṗn, rydṗn ni'n mṗnd allan.

   2. Ydṗch chi'n mṗnd gyda Tom a Mair? . . . .
      Ydṗn, rydṗn ni'n mṗnd gyda Tom a Mair.

   3. Ydṗch chi'n mṗnd i'r Ceffṗl Gwṗn? . . . .
      Ydṗn, rydṗn ni'n mṗnd i'r Ceffṗl Gwṗn.

   4. Ydṗch chi'n mṗnd yn y *Mini*? . . . .
      Ydṗn, rydṗn ni'n mṗnd yn y Mini.

   5. Ydṗch chi'n hwṗr? . . . .
      Ydṗn, rydṗn ni'n hwṗr.

2. Turn into the Negative (Trowch i'r negyddol):

    e.g. Rydỿn ni'n *barod* nawr.   Dydỿn ni *dd*im yn *b*arod nawr.
          Rydỿn ni'n hwỿr y bore yma.
          Rydỿn ni'n dod am saith o'r *g*loch.
          Rydỿn ni'n gweithio yn y llyfrgell.
          Rydỿn ni'n mỿnd gyda Gwilỿm a Gwen.
          Rydỿn ni'n gwỿlio'r teledu *b*ob nos.
          Rydỿn ni'n siarad Rwsieg.

3. Answer (Atebwch):

1. Ble mae'r swper?

    Mae'r swper yn y Ceffỿl Gwỿn.
    (Mae e)

2. Prỿd?

    Am saith o'r *g*loch.

3. Ydỿ'r swper yn y Ceffỿl Gwỿn?

    Ydỿ, mae'r swper yn y Ceffỿl Gwỿn.
        (mae e)

4. Ydỿ Nest yn mỿnd?

    Ydỿ, mae Nest yn mỿnd.
        (hi'n)

5. Ydỿ Huw yn mỿnd yn y *Mini*?

    Nac ydỿ, dydỿ Huw *dd*im yn mỿnd yn y
        (e)   *Mini*.

6. Oes swper yn y Ceffỿl Gwỿn?

    Oes, mae swper yn y Ceffỿl Gwỿn.

4. Translate (Cyfieithwch):

1. Are you going out to supper?

    Ydỿch chi'n mỿnd allan i swper?

2. Is there anything on the radio?

    Oes rhỿwbeth ar y radio?

3. Tom is there. Hurry!

    Mae Tom yna / acw. Brysiwch.

4. The small bag is missing.

    Mae'r bag bach ar *g*oll.

5. We are packing upstairs.

    Rydỿn ni'n pacio ar y llofft.

6. We aren't coming to college today.

    Dydỿn ni *dd*im yn dod i'r coleg heddiw.

7. Where is the evening class tonight?

    Ble mae'r dosbarth nos heno?

8. I live in the White Horse now.

$\dots\dots\dots\dots\dots\dots\dots\dots\dots\dots\dots$
Rydw i'n bɥw yn y Ceffɥl Gwɥn nawr.

9. Do you read the magazine every night?

$\dots\dots\dots\dots\dots\dots\dots\dots\dots\dots\dots$
Ydɥch chi'n darllen y cɥlchgrawn bob nos?

10. I don't either.

$\dots\dots\dots\dots\dots\dots\dots\dots\dots\dots\dots$
Dydw i ddim chwaith.

Activities:

1. One member takes the part of Nest and the other supplies Huw's part from memory.

2. Ask five questions based on the dialogue and answer them in full.

3. Using Table 6 in the Pattern Practice section, supply the answers to the question "I ble mae e'n / hi'n mɥnd?" by means of mime and gesture.

4. Using Table 7 in the Pattern Practice section, pretend that you are a human clock and show at what times the various meals are by using your arms as clues.

5. Two or more decide on a mime and ask the class "Beth ydɥn ni'n ei wneud?" The class members reply "Rydɥch chi'n..." and those who are performing the mime reply "Ydɥch, rydɥch chi'n gywir" (iawn)—correct or "Nac ydɥch, dydɥch chi ddim yn . . ."

6. Respond creatively to the sentence 'Rydɥn ni'n mɥnd allan i swper.' i.e. supply as many responses to it as possible.

63

8. Noson Goffi.

Nest: Noswaith *dda*, Mair.
Mair: Noswaith *dda*. Ydw i'n hwɲr?
Nest: Nac ydɲch. Dewch i mewn.
Mair: Diolch. Ble mae'r merched?
Nest: Maen nhw'n dod erbɲn wɲth.
Mair: Mae'r llestri'n hardd, Nest.
Nest: Ydɲn, *maen* nhw'n hardd.
Mair: Ydɲn nhw'n hen?
Nest: Nac ydɲn, dydɲn nhw *dd*im yn hen iawn.

8. A Coffee Evening.

Nest: Good evening, Mair.
Mair: Good evening. Am I late?
Nest: No. Come in.
Mair: Thanks. Where are the girls?
Nest: They are coming by eight.
Mair: The dishes are beautiful, Nest.
Nest: Yes, they *are* beautiful.
Mair: Are they old?
Nest: No, they aren't very old.

★ ★ ★ ★ ★ ★ ★

Mair: Ble mae'r bisgedi, Nest?
Nest: Maen nhw ar y silff-*ben*-tân.
Mair: O ydɲn. Dyma nhw.
Nest: Oes siwgr ar y bwrdd?
Mair: Oes, siwgr brown a siwgr gwɲn.
Nest: Ydɲ'r llaeth yn berwi?
Mair: Ydɲ, mae e.
Nest: Da iawn. A! Mae'r merched yma.

Mair: Ydɲn. Dyma nhw.
Nest: Noswaith *dda*, *f*erched. Croeso i 'Cartre'.
Mair: Hei, Nest, y llaeth!

Mair: Where are the biscuits, Nest?
Nest: They are on the mantelpiece.
Mair: Oh yes. Here they are.
Nest: Is there any sugar on the table?
Mair: Yes, brown and white sugar.
Nest: Is the milk boiling?
Mair: Yes, it is.
Nest: Very good. Ah! The girls are here.

Mair: Yes. Here they are.
Nest: Good evening, girls. Welcome to 'Cartre'. ('Home')

Mair: Hey, Nest, the milk!

PATTERN PRACTICE

1.

Bore da,	Huw
Prynhawn da,	*b*lant (*children*)
Noswaith *dda*.	*f*echgɲn (*boys*)
Nos da,	*f*erched (*girls*)
	cariad

2.

Dewch	i mewn yma allan ymlaen (*on*) (*forward*) i'r parlwr ar unwaith (*at once*)

3.

Ble mae'r	merched? llestri? bisgedi? silff-*ben*-tân?

4.

Dyma'r	siwgr llaeth cwpanau (*cups*) soseri (*saucers*)
Dyna'r	llwɲau (*spoons*) cyllɲll (*knives*) ffɲrc (*forks*)

5.

Oes	coffi lliain bwɲd cyllɲll ffɲrc halen (*salt*)	ar y bwrdd?

Oes, mae . . .
Nac oes, does dim . . .

6.

Rydw i'n	cyrraedd (*arrive*) dod mɲnd	erbɲn	tri pedwar pump chwech saith wɲth naw
Rydɲn ni'n			

7.

Dydw i *dd*im yn	*b*arod hwɲr deall popeth gallu darllen Ffrangeg mɲnd i'r ysbytɲ hoffi rasɲs ceffylau
Dydɲn ni *dd*im yn	

65

8.

Maen nhw'n	hen hardd hwɥr *dd*a *g*ynnar	iawn

9.

Ydɥn nhw'n	dysgu Cymraeg? siarad Almaeneg? bɥw yn Aberdâr? hen iawn?		Ydɥn, maen nhw'n . .

10.

Ydɥ'r	ffɥrc cyllɥll llestri bechgɥn	yn y *g*egin?	Ydɥn, mae'r	ffɥrc cyllɥll llestri bechgɥn	yn y *g*egin

Vocabulary (Geirfa):

bachgen (*m*), bechgɥn — boy(s)
cwpan (*m*), (-au) — cup(s)
halen (*m*) — salt
parlwr (*m*) — parlour
plentɥn (*m*), plant — child(ren)
cyllell (*f*), cyllɥll — knife, knives
fforc (*f*), ffɥrc — fork(s)
llwɥ (*f*), (-au) — spoon(s)
merch (*f*), (-ed) — girl(s)
silff-*b*en-tân (*f*) — mantelpiece
soser (*f*), (-i) — saucer(s)

bisgedi — biscuits
llestri — dishes, crockery

adre — home(wards)
berwi — to boil
brown — brown
'Cartre' — 'Home'
dacw'r — there's the . . . (distant)
dewch — come
dyna'r — there's the . . .(not so distant)
erbɥn — by
ɡartre — at home
hardd — beautiful
hen — old
i mewn — in
ymlaen — on / forward

66

Grammar (Gramadeg):

1.

Revision of constructions:	
Ble mae Huw?	Mae Huw yn y tŷ.
Ble mae e?	Mae e yn y gwelŷ.
Ble mae Nest?	Mae Nest drws nesa.
Ble mae hi?	Mae hi yn y gegin.
Ble mae Huw a Nest?	Mae Huw a Nest yn y car.
Ble maen nhw?	Maen nhw yn y sinema.
Ble mae'r ci?	Mae'r ci ar goll.
Ydŷ'r ci ar goll?	Ydŷ, mae e ar goll.
Ydŷ e yn y garej?	Nac ydŷ, dydŷ e ddim yn y garej.
Oes bocs bach yn y garej?	Oes, mae bocs bach yn y garej.
Oes bocs mawr yno?	Nac oes, does dim bocs mawr yno.
Ydŷch chi'n dod i'r dosbarth nos?	Ydw, rydw i'n dod nawr.
Ydŷch chi'n mŷnd i'r rasŷs?	Nac ydw, dydw i ddim yn mŷnd i'r rasŷs.
Ydŷch chi, blant, yn edrŷch ar Panorama?	Ydŷn, rydŷn ni'n edrŷch ar Panorama.
Ydŷch chi, ferched, yn barod?	Nac ydŷn, dydŷn ni ddim yn barod.
Ydŷn nhw'n dysgu Cymraeg?	Ydŷn, maen nhw'n dysgu Cymraeg.
Ydŷn nhw'n hoffi sbort?	Nac ydŷn, dydŷn nhw ddim yn hoffi sbort.

2. "Mae, Maen" become "Ydŷ" and "Ydŷn" in questions:

When the subject is a plural noun, the verb remains in the 3rd person singular.

Mae'r plentŷn yn sâl. (*The child is ill*)
Mae'r plant yn sâl. (*The children are ill*)

The subject when it is one of the personal pronouns (fi, fe(e), hi, ni, chi nhw) or a noun, comes *after* the verb.

Mae e'n gyrru. (*He is driving*).
Maen nhw'n gwŷbod hynnŷ. (*They know that*).

Maen nhw / Ydŷn nhw are used only when THEY is the subject.

3. The full conjugation of 'bod' (to be) in the Present Tense. The 2nd singular form has been included (you are / you are not / are you?) although the polite plural form (chi) is used for the time being.

Affirmative	Negative	Question
Rydw i	Dydw i ddim	Ydw i?
Rwŷt ti	Dwŷt ti ddim	Wŷt ti?
Mae e	Dydŷ e ddim	Ydŷ e? (o)?
Mae hi	Dydŷ hi ddim	Ydŷ hi?
Rydŷn ni	Dydŷn ni ddim	Ydŷn ni?
Rydŷch chi	Dydŷch chi ddim	Ydŷch chi?
Maen nhw	Dydŷn nhw ddim	Ydŷn nhw?

4. Note the mutation in Noswaith *dd*a, but 'Good night' is 'nos da' although 'nos' is a feminine noun. It is an exception to the rule. (cf. noson braf = a fine evening).

5.

South Wales	North Wales
Mae e	Mae o
Ydɥ e?	Ydɥ o?
Dyma fe	Dyma fo

Exercises (Ymarferion):

1. Give 'yes' answers to the following questions. (Rhowch atebion cadarnhaol i'r brawddegau yma):

1. Ydɥn nhw'n hen iawn?

   . . . .
   Ydɥn, maen nhw'n hen iawn.

2. Ydɥn nhw'n hwɥr iawn?

   . . . .
   Ydɥn, maen nhw'n hwɥr iawn.

3. Ydɥn nhw ar y siff-*ben*-tân?

   . . . .
   Ydɥn, maen nhw ar y silff-*ben*-tân.

4. Ydɥn nhw'n dod erbɥn wɥth?

   . . . .
   Ydɥn, maen nhw'n dod erbɥn wɥth.

5. Ydɥn nhw'n hoffi Noson Goffi?

   . . . .
   Ydɥn, maen nhw'n hoffi Noson Goffi.

2. Give negative answers to the following questions (Rhowch ateb negyddol i'r cwestiynau yma):

1. Ydɥn nhw ar y bwrdd?

   . . . .
   Nac ydɥn, dydɥn nhw *dd*im ar y bwrdd.

2. Ydɥn nhw'n *f*echgɥn da?

   . . . .
   Nac ydɥn, dydɥn nhw *dd*im yn *f*echgɥn da.

3. Ydɥn nhw'n *b*arod nawr?

   . . . .
   Nac ydɥn, dydɥn nhw *dd*im yn *b*arod nawr.

4. Ydɥn nhw'n mɥnd i'r ysbytɥ o *g*wbl?

   . . . .
   Nac ydɥn, dydɥn nhw *dd*im yn mɥnd i'r ysbytɥ o *g*wbl.

5. Ydɥ'r merched ar y llofft?

   . . . .
   Nac ydɥn, dydɥ'r merched *dd*im ar y llofft.

6. Ydɥ'r llestri yn y *g*egin?

   . . . .
   Nac ydɥn, dydɥ'r llestri *dd*im yn y *g*egin.

68

3. Change the following sentences into the affirmative. (Trowch y brawddegau yma i'r cadarnhaol):

1. Dydpn nhw *dd*im yma.

   ....
   Maen nhw yma.

2. Dydp'r bisgedi *dd*im ar y *g*adair.

   ....
   Mae'r bisgedi ar y *g*adair.

3. Dydpn nhw *dd*im ar y teledu.

   ....
   Maen nhw ar y teledu.

4. Dydpn ni *dd*im yn *g*ynnar, *f*erched.

   ....
   Rydpn ni'n *g*ynnar, *f*erched.

5. Does dim gwresogpdd yma, *b*lant.

   ....
   Mae gwresogpdd yma, *b*lant.

6. Dydw i *dd*im yn *dd*a iawn, *f*echgpn.

   ....
   Rydw i'n *dd*a iawn, *f*echgpn.

7. Dydp'r cyllpll a'r ffprc *dd*im yn y drôr.

   ....
   Mae'r cyllpll a'r ffprc yn y drôr.

8. Dydp e *dd*im yn hen iawn.

   ....
   Mae e'n hen iawn.

4. Translate (Cyfieithwch):

1. Wait a minute. The saucers are not here.

   ....
   Arhoswch *f*unud. Dydp'r soseri *dd*im yma.

2. They are in the horse races. Come on.

   ....
   Maen nhw yn y rasps ceffylau. Dewch ymlaen.

3. They are not in, love.

   ....
   Dydpn nhw *dd*im i mewn, cariad.

4. Are they living in Aberystwpth now?

   ....
   Ydpn nhw'n bpw yn Aberystwpth nawr?

5. We are not going to the horse races.

   ....
   Dydpn ni *dd*im yn mpnd i'r rasps ceffylau.

6. Hurry. The milk is boiling.

   ....
   Brysiwch. Mae'r llaeth yn berwi.

Activities:

1. Two members are supplied with a list of positions and actions which they are expected to mime together:
   e.g. "Maen nhw'n eistedd ar y *g*adair. Maen nhw'n sefpll wrth y ffenest."
   The other class members say where they are and what they are doing.

2. Draw pictures of two cups / saucers etc. and place them in various parts of the room. Allow the others to describe their location.

3. Think of an object and let the others decide what it is by asking five questions.

4. Pretend that you are at a coffee evening or stag party. Arrange yourselves in groups and converse in Welsh. (Use mime and gesture to suggest holding cups (tankards etc!).

5. Working in pairs, 'A' supplies a statement and 'B' supplies a question based on it. e.g. Mae hi'n *fore braf* / Ydy hi?

6. 'A' makes a statement containing the singular, then 'A' and 'B' together give the plural form: e.g. Rydw i'n hoffi coffi. / Rydyn ni'n hoffi coffi.

7. Respond creatively to the sentences in Pattern Practice 4, 5, 7, 8, 10. i.e. supply as many different kinds of responses as possible.

9. Croeso!

Mrs. Davies: Croeso i Aberystwpth, Mrs. Puw.

Mrs. Puw: Diolch yn *f*awr.

Mrs. Davies: Oes teulu gennpch chi?

Mrs. Puw: Oes, mae bachgen a merch gen i. Oes plant gennpch *chi*?

Mrs. Davies: Oes, un *f*erch.

Mrs. Puw: O, ble mae hi?

Mrs. Davies: Mae hi yn y coleg yn Abertawe nawr.

Mrs. Puw: Ydp hi'n hapus yno?

Mrs. Davies: Ydp, mae hi'n hapus iawn. Mae hi'n hoffi astudio'n *f*awr iawn.

Mrs. Puw: Oes car gennpch chi?

Mrs. Davies: Oes, mae *Hillman* gyda ni.

Mrs. Puw: Oes car gennpch *chi*?

Mrs. Davies: Mae *Gazelle* gan fy *ng*ŵr ac mae *Mini* coch gen i.

Mrs. Puw: Rydpch chi'n lwcus iawn.

Mrs. Davies: Ydw, a dweud y gwir.

Mrs. Puw: Wel, mae rhaid i *f*i *f*rysio. Mae'r gŵr yn dod adre i *d*e.

Mrs. Davies: Mae rhaid i *f*i *f*pnd hefpd. Mae fy *ng*ŵr yn dod adre o'r coleg. Galwch rpw *d*ro.

Mrs. Puw: O'r gorau.

Mrs. Davies: Rydpn ni ar y ffôn-rhif tri pump saith chwech.

Mrs. Puw: Rydpch chi'n *g*aredig iawn. Da boch chi nawr, Mrs. Davies.

9. Welcome!

Mrs. Davies: Welcome to Aberystwpth, Mrs. Pugh.

Mrs. Pugh: Thank you very much.

Mrs. Davies: Have you (got) a family?

Mrs. Pugh: Yes, I have a boy and a girl. Have *you* got children?

Mrs. Davies: Yes, one daughter.

Mrs. Pugh: Oh, where is she?

Mrs. Davies: She is at the college at Swansea now.

Mrs. Pugh: Is she happy there?

Mrs. Davies: Yes, she is very happy. She likes studying very much.

Mrs. Pugh: Have you (got) a car?

Mrs. Davies: Yes, we have a Hillman.

Mrs. Pugh: Have *you* got a car?

Mrs. Davies: My husband has a Gazelle and I have a red Mini.

Mrs. Pugh: You are very lucky.

Mrs. Davies: Yes, to tell the truth.

Mrs. Pugh: Well, I must hurry. My husband is coming home to tea.

Mrs. Davies: *I* must also go. My husband is coming home from the college. Call some time.

Mrs. Pugh: Very well.

Mrs. Davies: We are on the phone-number three five seven six.

Mrs. Pugh: You are very kind. Cheerio now, Mrs. Davies.

PATTERN PRACTICE

1.

| Oes | teulu
bachgen
merch
plant
car
gwraig (*wife*)
ffôn | gennŷch chi? |

| Oes, mae | teulu
bachgen
merch
plant
car
gwraig
ffôn | gen i |

2.

| Mae | digon
te
siwgr gwŷn
gwresogŷdd
tebot
llaeth | gan | Huw
Nest
Huw a Nest |

3.

| Mae | bisgedi
coffi
llestri
teledu
radio
cŷlchgrawn
llyfrau
gormod | ganddo fe (*with him*) i.e. *he has . . .*
ganddi hi (*with her*) i.e. *she has . . .* |

4.

| Does dim | dosbarth nos
lliain
sebon
papur
ffrog
siwt | gyda (gennŷn) ni (*with us*) (*We haven't got . . .*)
gennŷch chi (*with you*) (*You haven't got . . .*) |

5.

Ble	mae	'r bachgen? e?
	mae	'r *f*erch? hi?
	mae maen	'r bachgen a'r *f*erch? nhw?

6.

		y parlwr	y bore yma
Mae e/hi	yn	y stafell ymolchi	heddiw
		y dosbarth nos	heno
		y Ceffŋl Gwŋn	
Maen nhw		Abertawe	y prynhawn yma
		y llyfrgell	nawr

7.

Mae e'n/hi'n Rydŋch chi'n	*dd*a hwŋr *b*arod hapus *g*aredig (*kind*) swnllŋd (*noisy*)	iawn

8.

Mae	*Gazelle* *Hillman* *Ford*	gan y	gŵr *w*raig mab (*son*) *f*erch (*daughter*) teulu tad (*father*) *f*am (*mother*)

9.

Mae *Mini*	melŋn (*yellow*) coch (*red*) gwŋn glas (*blue*) brown du (*black*) llwŋd (*grey*)	gan Mr. a Mrs. Davies ganddŋn nhw (*with them*, i.e. *they have*)

10.

Rydŋch chi'n	lwcus *b*arod *g*aredig hwŋr *dd*a

11.

Mae	rhaid i *f* i	*f*rysio
Does dim		*f*ŋnd ar unwaith *dd*od heno

73

12.

Galwch yn	y	tŷ siop llyfrgell *d*re
	Abertawe	

13.

Rydw i Mae Huw/Nest Mae e/hi Rydɲn ni Rydɲch chi Mae Huw a Nest Maen nhw	ar y ffôn	Ydw i? Ydɲ Huw/Nest? Ydɲ e?/hi? Ydɲn ni? Ydɲch chi? Ydɲ Huw a Nest? Ydɲn nhw?

Vocabulary (Geirfa):

ffôn (teleffôn) (*m*) — telephone
gŵr (*m*) — man, husband
mab (*m*) — son
rhif (*m*) — number
tad (*m*) — father

gwraig, y *w*raig (*f*) — wife, woman
merch, y *f*erch (*f*) — girl, daughter

astudio — to study
brysio — to hurry

caredig, yn *g*aredig — kind
coch, yn *g*och — red
dod — to come
du, yn *dd*u — black
dweud y gwir — to tell the truth
galwch — call
glas, yn *l*as — blue
llwɲd, yn llwɲd — grey
melɲn, yn *f*elɲn — yellow
mɲnd — to go
swnllɲd — noisy

Grammar (Gramadeg):

1. The preposition 'gan' and its conjugated forms stands for 'to have'—to possess
   e.g.   Mae car gen i. (Colloquially 'gyda *f*i / 'da *f*i' in South Wales).
   (I have a car — There is a car with me).
   This construction cannot be used to translate such a sentence as:
   I have lunch at the Black Lion (see Unit 10)
   i.e. have—to get, obtain, secure, find, receive, be allowed to, take a meal, etc.
2. In the sentence: Mae hi'n hoffi astudio (She is fond of studying), 'astudio' is the subject of 'hoffi' and is equivalent to 'ei hastudio' (her study).
3. 'Mae rhaid i *f*i' (etc) is followed by the soft mutation.
4. From college—o'*r* coleg in Welsh (cf. to bed—i'*r* gwelɲ); a'*r*—and the; gyda'*r*—with the.

74

Exercises (Ymarferion):

1. Answer the following questions with 'yes' answers (Atebwch y cwestiynau yma gydag atebion cadarnhaol):

   1. Oes teulu gennych chi?

      . . . .
      Oes, mae teulu gen i.

   2. Oes plant gennych chi?

      . . . .
      Oes, mae plant gen i.

   3. Oes bachgen gennych chi?

      . . . .
      Oes, mae bachgen gen i.

   4. Oes merch gennych chi?

      . . . .
      Oes, mae merch gen i.

   5. Oes car gennych chi?

      . . . .
      Oes, mae car gen i.

   6. Oes set *d*eledu gennych chi?

      . . . .
      Oes, mae set *d*eledu gen i.

2. Give personal answers to the above questions.

3. Ask questions of the same type containing the following words: cylchgrawn / dosbarth nos / mab / gwresogydd / swyddfa / cae melyn / siwgr gwyn.

4. Change into the question form

   e.g. Mae set radio gen i.   Oes set radio gennych chi?

   1. Mae mab a merch gan Nest.

      . . . .
      Oes mab a merch gan Nest?

   2. Mae llestri hardd ganddyn nhw.

      . . . .
      Oes llestri hardd ganddyn nhw?

   3. Mae coffi a bisgedi ganddi hi.

      . . . .
      Oes coffi a bisgedi ganddi hi?

   4. Mae gwraig *dd*a gen i.

      . . . .
      Oes gwraig *dd*a gennych chi?

   5. Rydw i'n lwcus.

      . . . .
      Ydych chi'n lwcus?

   6. Nac oes, does dim bag bach gen i.

      . . . .
      Oes bag bach gennych chi?

   7. Ydy, mae e'n *f*achgen caredig.

      . . . .
      Ydy e'n *f*achgen caredig?

   8. Ydyn, rydyn ni'n benthyca set *d*eledu.

      . . . .
      Ydych chi'n benthyca set *d*eledu?

5. Translate (Cyfieithwch):

   1. Welcome to Swansea.

      . . . .
      Croeso i Abertawe.

   2. Have you got a black car?

      . . . .
      Oes car du gennych chi?

75

3. Is she happy in the college?

. . . .
Ydɲ hi'n hapus yn y coleg?

4. I must hurry to the office.

. . . .
Mae rhaid i ʃi frysio i'r swɲddfa.

5. They are on the 'phone now.

. . . .
Maen nhw ar y ffôn nawr.

6. He likes studying French and Russian.

. . . .
Mae e'n hoffi astudio Ffrangeg a Rwsieg.

7. I have one daughter in the hospital.

. . . .
Mae un ferch gen i yn yr ysbytɲ.

8. They are in school this morning.

. . . .
Maen nhw yn yr ysgol y bore yma.

9. There is no evening class at all tonight.

. . . .
Does dim dosbarth nos o gwbl heno.

10. I don't have to go from Swansea.

. . . .
Does dim rhaid i ʃi fɲnd o Abertawe.

Activities:

1. Collect a number of objects and pretend that you are conducting a sale for charity. Other members of the group will respond with suitable questions and ejaculations.

2. Pretend that Mrs. Davies and Mrs. Pugh are speaking on the telephone. Mrs. Davies is inviting Mrs. Pugh to dine with them at an hotel.
   OR pretend that Mr. Davies and Mr. Pugh are discussing a forthcoming sherry party over the telephone.

3. Prepare 10 or 20 questions and present them to your partner in the form of a game, e.g. Double Your Money.

4. Place a number of objects (or pictures of objects and actions) in a bag. Let the members take an object and say "Mae . . . gen i". Another member will say "Oes . . . gennɲch chi?" / "Oes . . . gan Mr. C?"

5. "I've got a horse". Pretend that you are a race tipster (or a travelling salesman) Operate in twos or groups.

6. Affirmative Alf v. Negative Ned. Affirmative Alf insists on making positive statements and Negative Ned *will* contradict. Be seated on two rows of chairs facing each other.

7. "The Case of the Missing Jewel". ("Mae'r gem ar goll".)
   Members of the group accuse each other of having the gem on their person.

10. Croeso i'n ffrindiau.

Huw: Oes digon o ƒwɲd gyda ni
dros y Sul?

Nest: Oes, mae digon o ƀopeth yma,
gobeithio.

Huw: Nest ƒach, mae gormod o laeth
gennɲch chi.

Nest: Nac oes, does dim gormod o
gwbl. Mae'n ffrindiau ni o
Fflint yn dod yma.

Huw: Eich ffrindiau *chi*, Nest.

Nest: Ein ffrindiau *ni*, Huw.
Rydɲch *chi'n* hoffi Bil a Bet
hefɲd. Maen nhw'n ƀobl hoffus
iawn.

Huw: Rydw i'n hoffi Bil ond dydw i
*dd*im yn hoffi Bet, mae'n
*dd*rwg gen i. Mae hi'n siarad
gormod.

Nest: Dyna *dd*igon, Huw. Dydɲ Bet
*dd*im yn siarad llawer. Rydɲch
chi'n siarad am sbort ac mae
Bil yn siarad am rasɲs ceffyl-
au. Dydɲn *ni dd*im yn cael
cyfle i siarad o gwbl!

Huw: Cyfle yn *w*ir! O wel, oes tipɲn
o *w*in yma?

Nest: Oes, mae ychydig yn y cwp-
wrdd ond does dim digon,
mae'n siŵr. Mae rhaid i ni
ƀrynu rhagor.

Huw: Oes diferɲn o wisgi i ƒi?

Nest: Oes, mae diferɲn bach, ond
cofiwch nawr, peidiwch ag
yfed gormod!

10. Welcome to our friends.

Huw: Have we enough food for the
weekend (over Sunday)?

Nest: Yes, there's plenty of everything
here, I hope.

Huw: Nest dear, you have too much
milk.

Nest: No, there isn't too much at all.
Our friends from Flint are
coming here.

Huw: *Your* friends, Nest.

Nest: *Our* friends, Huw.
You like Bill and Bet too.
They are very likeable people.

Huw: I like Bill but I don't like Bet,
I'm sorry. She talks too much.

Nest: That's enough, Huw. Bet doesn't
talk much. You are talking
about sport and Bill is talking
about horse races. *We* don't
have a chance to talk at all!

Huw: Chance indeed! Oh well, is there
some wine here?

Nest: Yes, there is a little in the cup-
board but there isn't enough,
I'm sure (it is sure). We must
buy more.

Huw: Is there a drop of whisky for me?

Nest: Yes, there is a little drop, but
remember now, don't drink
too much!

| Huw: | Dydw i *dd*im yn yfed llawer. Dim ond dweud 'Croeso i'n ffrindiau *ni*'. Iechyd da i Bil a Bet!! | Huw | I don't drink much. Only say 'Welcome to *our* friends'. Good health to Bill and Bet!! |

PATTERN PRACTICE

1.

| Oes digon o | lo (*coal*)
le (*room*)
ƒara (*bread*)
ymenyn (*butter*)
olau (*light*)
win
wisgi | gyda/gennyn ni? | | Oes, mae digon o . . . gyda/gennyn ni |

2.

| Mae | ychydig
gormod
digon | o | gawl (*broth*)
arian (*money*)
datws (*potatoes*)
halen (*salt*)
deisen (*cake*) | gen i | | Oes |

3.

| Does dim llawer o | le
waith
swper

laeth
sebon | i

iddo fe
iddi hi | ƒi
Huw
Nest | Nac oes |

4.

| Ydy | e'n
hi'n | hoffi | digon | o | ƒwyd?
gig? (*meat*)
lyfrau?
gwmni? (*company*) | Ydy
Nac ydy |

5.

Mae rhaid i	ƒ i ni	gael tipɲn o	bapur amser (*time*) *l*aeth gaws (*cheese*) inc *d*onic	Oes

6.

Ble mae'r	glo? noson goffi? wisgi? gwin? bara?

7.

Ble mae	'ch (*your*)	llyfrau teulu tŷ ffrindiau	chi?	Dyma	'n (*our*)	llyfrau teulu tŷ ffrindiau	ni

8.

Ydɲch chi'n	bwɲta	llawer o	gig? ƒara? wɲau? (*eggs*) gawl? *d*atws?	Ydw, rydw i'n . . . Nac ydw, dydw i *dd*im yn . . .
	yfed		goffi? *d*e? *dd*ŵr? win? wisgi? gwrw? (*beer*)	Ydɲn, rydɲn ni'n . . . Nac ydɲn, dydɲn ni *dd*im yn . .

9.

Ydɲn nhw'n cael(?)	digon	o	Ffrangeg Almaeneg Sbaeneg Gymraeg Rwsieg gyfle (opportunity)	yn yr ysgol yn y cɲlchgrawn (*magazine*) yn y dosbarth nos ar y radio
Maen nhw'n cael	llawer			
Dydɲn nhw *dd*im yn cael				

79

10.

Mae'r (The)	ysgol sgwrs ddadl (debate)	ddɥdd	Llun (*Monday*) Mawrth (*Tuesday*) Mercher (*Wednesday*) Iau (*Thursday*) Gwener (*Friday*) Sadwrn (*Saturday*)

11.

Does dim (*There isn't a*)	noson *g*offi dosbarth cyfarfod (*meeting*) parti rhaglen *dd*a	nos	Sul (*Sunday night*) Lun (*Monday night*) Fawrth (*Tuesday night*) Fercher (*Wednesday night*) Iau (*Thursday night*) Wener (*Friday night*) Sadwrn (*Saturday night*)

Vocabulary (Geirfa):

bara (*m*) — bread
bwɥd (*m*) — food
cawl (*m*) — broth
caws (*m*) — cheese
cig (*m*) — meat
cwmni (*m*) — company
cyfle (*m*) — opportunity
diferɥn (*m*) — a drop
ffrind (*m*), (-iau) — friend(s)
golau (*m*) — a light
glo (*m*) — coal
inc (*m*) — ink
lle (*m*) — room, place
tonic (*m*) — tonic
wɥ (*m*), (-au) — egg(s)
ymenɥn (*m*) — butter

cael — to have
cofiwch — remember
digon — enough, plenty
dweud — to say, tell
ein . . . ni — our
eich . . . chi — your
gobeithio — to hope
gormod — too much
hoffus — likeable
iechɥd da — good health (cheers!)
llawer — many, much
mae'n *dd*rwg gen i — I'm sorry
mae rhaid i ni — we must
prynu — to buy

Grammar (Gramadeg):

1. Peidiwch â (don't) + Aspirate mutation of C. P, T — CH, PH, TH. Peidiwch ag (+ vowel).

2. Possessive adjectives.

   Fy (my) (+ nasal mutation)   ein (our) (+ no mutation)
   ei (his) (+ soft mutation)   eich (your) (+ no mutation)
   ei (her) (+ aspirate mutation)   eu (their) (+ no mutation)

80

'Ei, eu' are pronounced (i); ein (yn); eich (ych).
They never bear the stress of the voice. The 'f' in 'fy' is often elided,
   e.g.   fy *mh*en (my head) — 'y *mh*en.
'Ein, eich' are contracted to 'n, 'ch after a vowel.
   e.g.   Ble mae'ch côt chi?

3. The word 'bach' (fem. *fach*) meaning 'small' is used after the name of a person as a term of endearment,

   e.g.   Ifan bach, Nest *fach*.

4. Llawer — much, many, a lot. 'Llawer o' before nouns (+ soft mutation); 'digon o' — plenty of — before nouns (+ soft mutation); 'ychydig o' (tipɲn o) (+ soft mutation); 'ychydig — a little / a few; 'tipɲn' — a bit, a little.

Exercises (Ymarferion):

1. Give 'yes' answers to the following questions. (Atebwch y cwestiynau yma'n gadarnhaol):

   1. Oes digon o *f*wɲd gyda ni? . . . .
   Oes, mae digon o *f*wyd gyda ni.

   2. Oes gormod o *l*aeth gennɲch chi? . . . .
   Oes, mae gormod o *l*aeth gen i. (gyda ni).

   3. Oes llawer o *b*obl yn dod yma? . . . .
   Oes, mae llawer o *b*obl yn dod yma.

   4. Oes tipɲn o *w*in yn y cwpwrdd? . . . .
   Oes, mae tipɲn o *w*in yn y cwpwrdd.

   5. Oes ychydig o wisgi yna? . . . .
   Oes, mae ychydig o wisgi yna.

2. Give the question forms of the following sentences:

   1. Oes, mae digon o ymenɲn yn y *g*egin. . . . .
   Oes digon o ymenɲn yn y *g*egin?

   2. Does dim llawer o *l*e yn y gwelɲ. . . . .
   Oes llawer o *l*e yn y gwelɲ?

   3. Rydw i'n hoffi digon o *g*wmni. . . . .
   Ydɲch chi'n hoffi digon o *g*wmni?

   4. Mae rhaid i *f*i *g*ael tipɲn o *d*onic. . . . .
   Oes rhaid i chi *g*ael tipɲn o *d*onic?

   5. Maen nhw'n cael digon o *b*opeth yn y coleg. . . . .
   Ydɲn nhw'n cael digon o *b*opeth yn y coleg?

   6. Mae e'n bwɲta llawer o *d*atws. . . . .
   Ydɲ e'n bwɲta llawer o *d*atws?

81

7. Ydy, mae'r wisgi yn y parlwr.

....
Ydy'r wisgi yn y parlwr?

8. Dydyn ni *dd*im yn cael gormod o arian.

....
Ydych chi'n cael gormod o arian?

9. Mae tipyn o *d*eisen gen i.

....
Oes tipyn o *d*eisen gennych chi?

10. Mae hi'n dod nos Iau.

....
Ydy hi'n dod nos Iau?

3. Change into the negative (Trowch i'r negyddol):

1. Mae gormod o halen ganddi hi.

....
Does dim gormod o halen ganddi hi.

2. Mae digon o *l*o ar y tân.

....
Does dim digon o *l*o ar y tân.

3. Mae'r dosbarth nos *F*awrth.

....
Dydy'r dosbarth *dd*im nos *F*awrth.

4. Mae gormod o *g*offi gan Nest.

....
Does dim gormod o *g*offi gan Nest.

5. Mae e'n siarad digon.

....
Dydy e *dd*im yn siarad digon.

6. Mae hi'n cael cyfle ar y teledu.

....
Dydy hi *dd*im yn cael cyfle ar y teledu.

4. Translate (Cyfieithwch):

1. There is a little whisky for me.

....
Mae ychydig o wisgi i *f*i.

2. There is plenty of room upstairs.

....
Mae digon o *l*e ar y llofft.

3. There is too much light in the room.

....
Mae gormod o *o*lau yn y stafell.

4. We like lots of meat.

....
Rydyn ni'n hoffi llawer o *g*ig.

5. Do you drink much?

....
Ydych chi'n yfed llawer?

6. Excellent.

....
Ardderchog.

7. I drink wine, to tell the truth.

....
Rydw i'n yfed gwin, a dweud y gwir.

8. Wait a minute. There are too many here.

....
Arhoswch *f*unud. Mae gormod yma.

9. They get plenty on Thursday night.

....
Maen nhw'n cael digon ar nos Iau.

Activities:

1. Construct a conversation based on the theme 'Pobol drws nesa' (The People Next Door) who have been invited to tea. They are very noisy. They have a cat, a dog, a loud television set and a houseful of children. Record the conversation on tape.

2. Form threes. 'A' asks a question, 'B' supplies the negative answer, and 'C' gives the affirmative answer.

3. (a) Working in pairs, 'A' supplies a question and 'B' answers with an extended sentence,

   e.g. 'A': Oes dosbarth heno?
   'B': Nac oes, does dim dosbarth heno ond mae dosbarth nos yforp, rydw i'n meddwl.

   (b) 'A': Ydp Huw'n mpnd i'r cyfarfod?
   'B': Ydp, mae e'n mpnd i'r cyfarfod erbpn saith ac mae e'n mpnd i'r clwb gyda Wil ar ôl hynnp.

4. Face to Face. Prepare a series of questions. One member asks the questions and the other answers them.

5. Dramatic Monologue. Choose ten actions, perform them individually and give a running commentary, e.g. One member moves his head from side to side and says "Rydw i'n gwplio tenis". Or a member furiously eats with his fork and says "Rydw i'n hoffi digon o *d*atws newpdd."

6. Link up sentences with a, ac, ond (but), fellp (so).

11. Mɥnd i Harlech.

Nest: Ble rydɥch chi, Huw?

Huw: Dyma *fi*. Rydw i yn y stafell *welɥ*. Rydw i'n gwisgo fy *nghrɥs*.

Nest: Ydɥ Alun yna?

Huw: Ydɥ, dyma fe yn y stafell ymolchi. Mae e'n cribo 'i *wallt*.

Nest: Ble mae Dilɥs 'te?

Huw: Dilɥs? O, dyma hi. Mae hi'n *brysur*. Mae hi'n chwilio am ei *chamera*.

Nest: Ydɥ'r ffenestri ar *gau*?

Huw: Ydɥn, maen nhw i gɥd ar *gau*. Dilɥs, rhowch y dillad yma i'ch mam. Dyma nhw. Diolch.

Nest: Ydɥch chi'n *barod* i *gychwɥn*?

Huw: Ydɥn, dyma ni. Ydɥ'r camera gennɥch chi, Dilɥs? O, ydɥ. Dewch â basged mam, Alun. Dyna chi.

★ ★ ★ ★ ★ ★ ★

Nest: Wel, dyna lwcus ydɥn ni, *blant*. O! ble mae'r ci, Huw?

Huw: Dacw fe. Mae e ar sedd *gefn* y car. Mae fy *mhethau* i gen i i gɥd.

Nest: O! dyma *wlad* hardd, *blant*! Edrychwch, dacw *gastell* Harlech. Dyma fy hoff *olygfa*.

11. Going to Harlech.

Nest: Where are you, Huw?

Huw: Here I am. I am in the bedroom. I am wearing (putting on) my shirt.

Nest: Is Alun there?

Huw: Yes, here he is in the bathroom. He is combing his hair.

Nest: Where is Dilys, then?

Huw: Dilys? Oh, here she is. She is busy. She is looking for her camera.

Nest: Are the windows shut?

Huw: Yes, they are all shut. Dilys, give these clothes to your mother. Here they are. Thanks.

Nest: Are you ready to start?

Huw: Yes, here we are. Have you got the camera, Dilys? Oh yes. Bring mother's basket, Alun. There you are.

Nest: Well, there's lucky we are (aren't we lucky), children. Oh, where's the dog, Huw?

Huw: There he is. He is on the back seat of the car. I've got all my things.

Nest: Oh, what beautiful country, children! Look, there's Harlech castle. This is my favourite sight.

Huw:	Ydɥ, *mae e'n* hen ac *mae e'n* hardd. Ble mae'r camera? Dyma *dd*arlun ardderchog. Arhoswch *f*unud. Wel, wel, does dim ffilm yn y camera, Dilɥs *f*ach. Dyna *d*wp ydɥn ni!	Huw:	Yes, it *is* old and it *is* beautiful. Where's the camera? Here's a splendid picture. Wait a minute. Well, well, there isn't a film in the camera, Dilys dear. How stupid we are!
Nest:	O, dyna *b*iti.	Nest:	Oh, what a pity!

PATTERN PRACTICE

1.

Dyma fi	yn y	stafell *w*elɥ gegin parlwr garej coleg

2.

Dyma Huw	ar	y	strɥd teledu bws beic lawnt (*lawn*)

3.

Dyma fe	wrth	y	ffenest tɥ̂ tân siop capel

4.

Dyma Nest Dyna hi	o *f*laen (*in front of*)	y	drɥch set *d*eledu llyfrgell swɥddfa coleg

85

5.

Dyma ni	tu allan i'r	*d*re cartre *a*rdd (*garden*) amgueddfa (*museum*) Ceff*y*l Gw*y*n

6.

Dyma chi	dan	y	bwrdd *g*adair set *d*eledu car
	o'r diwedd		

7.

Dyma Dacw	Huw a Nest yn nhw'n	gweithio pacio bw*y*ta yfed benthyca llyfrau siopa m*y*nd am *d*ro

8.

Dyma'r Dyna'r Dacw'r	papur Cymraeg t*ŷ* new*y*dd gwin gw*y*n siwgr brown *f*erch *d*re hen *g*astell hen *ŵ*r (*old man*) unig un (*only one*) unig *l*e (*only place*)

9.

Dyma'r	bisgedi merched llestri bechg*y*n stafelloedd (*rooms*)

Dyma nhw

10.

Dyma	dipɥn ddigon ychydig	o	lwc le arian	i chi

11.

Ble mae'r	ffôn? gŵr? rhif? olew?	Dacw fe Dyma fe Dyna fe

12.

Ble mae	gŵr Mrs. Davies? basged mam? camera Dilɥs? dosbarth Huw? stafell Nest? *Mini* Dafɥdd?

13.

Ydɥ'r	ffrog siwt gadair	yma?	Ydɥ, dyma hi

Dyma'r	gadair (cadair) bêl (pêl) dre (tre) wlad (gwlad) fasged (basged) ddrama (drama) fam (mam)

14.

Ble mae	fy	nghrɥs mhensil nhe ngwin misgedi nosbarth	i?

Dyma'ch	crɥs pensil te gwin bisgedi dosbarth	chi

15.

Dyma Dacw	'n	soseri cwpanau a'n soseri	ni
	'ch	ffɥrc cyllɥll cyllɥll a ffɥrc	chi
	'u	llyfrau gwelɥ	nhw

Vocabulary (Geirfa):

camera (*m*) — camera
castell (*m*) — castle
crɥs (*m*) — shirt
darlun (*m*) — a picture
gwallt (*m*) — hair
peth (*m*), (-au) — thing(s)
piti (m) — pity

amgueddfa (*f*) — museum
ffenest(r) (*f*), (-i) — window(s)
garej (*f*) — garage
gardd, yr *a*rdd (*f*) — garden
sedd *g*efn (*f*) — back seat

stafell *w*elɥ (*f*) — bedroom

ar *g*au — shut
cribo — to comb
cychwɥn — to start
dewch â — bring ('come with' lit.)
gwisgo — to wear, dress
prysur, yn *b*rysur — busy
stafelloedd — rooms
tu allan i — outside
twp — dull, silly, stupid
unig — only (also 'lonely' after a noun)

Grammar (Gramadeg):

1. (a) Note the nasal mutation after 'fy' (my):

crɥs	—	fy *ngh*rɥs (c > *ngh*)
(shirt)	—	(my shirt)
pethau	—	fy *mh*ethau (p > *mh*)
(things)		(my things)

   (b) 'ei' (his) takes the soft mutation:
   ei *w*allt (g > nothing)

   (c) 'Ei' is pronounced 'i after a vowel:
   e.g.   Dyma'i lɥfr e.

   (d) 'ei' (her) takes the aspirate mutation:
   ei *ch*amera (c / *ch*; p / *ph*; t / *th*)
   (her camera)

2. Note the genitive case in Welsh is expressed in the following manner:

   (a) Mother's basket

	The / basket / of / mother
	basged mam

   The grocer's shop

	The shop / of / the / grocer
	siop y groser

   Huw's car

	The car / of / Huw
	car Huw

   (b) The / back seat / of / the / car
   sedd *g*efn   y   car

   The / corner / of / the / street
   cornel   y   strɥd

88

(c)   In the example 'rhan o'r tŷ' (part of the house), the Partitive (the 'of the') is literally translated.

3.   Note the following forms:

Mae'r ffenestri ar *g*au	—	The windows are shut
Mae'r drws yn cau	—	The door is shutting
Mae'r siop wedi cau	—	The shop has shut
Mae'r llythyrdy newydd *g*au	—	The post office has just (newly) shut

4.   'Dyma, dyna, dacw' are demonstrative adjectives:

Dyma	—	here is (are); this is, these are.
Dyna	—	there is (are); that is, those are.
Dacw	—	yonder is (are).

They are also used to point out some visible object or fact
     e.g.   Dyma *f*i (here I am); Dyna'r gwir (that's the truth).
'Dyma, dyna, dacw' take the soft mutation
     e.g.   Dyma *l*yfr da (Here's a good book)
The negative is: Nid dyma'r tŷ (This isn't the house)
                   Nid dyna'r ffordd (That's not the way)

Nid y ty yma (Dim y ty yma)

'Dyma' is also used to express past action as if it were happening now:
     e.g.   Dyma fe'n codi
            He got up.

5.   A few adjectives are placed before the noun in Welsh:

hen *ŵ*r	unig *b*lentyn	f'annwyl *g*ariad
(an old man)	(an only child)	(my dear sweetheart)

When 'unig' is placed after the adjective, it means 'lonely',
     e.g.   lle unig (a lonely place)

1. Exercises (Ymarferion):

Translate (Cyfieithwch):

1.   Here are Huw and Nest in the library. . . . .
                                          Dyma Huw a Nest yn y llyfrgell.

2.   Here is a bit of luck. . . . .
                                          Dyma *d*ipyn o lwc.

3.   Here they are in the bathroom. . . . .
                                          Dyma nhw yn y stafell ymolchi.

4. There's beautiful country!

. . . .
Dacw *w*lad hardd.
(Dyna)

5. Here he is by the fire.

. . . .
Dyma fe wrth y tân.

6. Here we are outside the museum.

. . . .
Dyma ni tu allan i'r amgueddfa.

7. There she is in front of the office.

. . . .
Dacw hi o *f*laen y swyddfa.
(Dyna)

8. Where is the heat? Here it is.

. . . .
Ble mae'r gwres? Dyma fe.

9. Here she is drinking wine.

. . . .
Dyma hi'n yfed gwin.

10. Come to the garden.

. . . .
Dewch i'r *a*rdd.

11. Here I am reading a book.

. . . .
Dyma fi'n darllen llyfr.

2. Answer (Atebwch):

1. Ble mae Alun?

. . . .
Mae Alun yn y stafell ymolchi.
(e)

2. Ydy Dilys yn chwilio am ei *ch*amera?

. . . .
Ydy, mae Dilys yn chwilio am ei *ch*amera.

3. Ydy'r ffenestri ar *g*au?

. . . .
Ydyn, mae'r ffenestri ar *g*au.
(maen nhw)

4. Oes castell yn Harlech?

. . . .
Oes, mae castell yn Harlech.

5. Ydy'r ci ar y sedd *g*efn?

. . . .
Ydy, mae'r ci ar y sedd *g*efn.

3. Revise previous vocabulary with Dyma / dacw / dyna fi, fe, hi, ni, chi, nhw . . .

4. Give the pronoun instead of the noun in the following examples:

    e.g. Dyma'r tebot — Dyma fe.

Dyma'r gwely . . .   Dyma'r bag . . .
Dyma'r tŷ newydd . . .   Dyma'r bwyd . . .
Dyma'r papur . . .   Dyma'r sebon . . .
Dyma'r cylchgrawn . . .   Dyma'r Ceffyl Gwyn . . .

5. Give the feminine form of the pronoun instead of the noun in the following examples:

    e.g. Dyma'r siwt — Dyma hi.

    Dyma'r ffrog . . .   Dyma'r *dd*rama . . .
    Dyma'r rhaglen . . .   Dyma'r set radio . . .
    Dyma'r ffilm . . .   Dyma'r *g*adair . . .

6. Give the plural form of the pronoun instead of the noun in the following examples:

    e.g. Dyma'r llestri — Dyma nhw.

    Dyma'r merched . . .   Dyma'r stafelloedd . . .
    Dyma'r bisgedi . . .   Dyma'r bechgyn . . .
    Dyma'r llyfrau . . .

7. Ask questions which will supply the answers 'Dyma fe / Dyma fi / Dyma nhw / Dacw fe / Dacw hi / Dacw nhw.'

Activities:

1. Play the television game "Mr. and Mrs.". Mr. and Mrs. come on stage and are introduced to the audience by the compere who asks them suitable personal questions as to the likes and dislikes, personal habits etc of their respective wives and husbands. The compere makes three statements and the husband / wife have to choose the appropriate answer, e.g. Mae John yn hoffi dillad brown / du / llwyd. Mr. leaves the room while Mrs. answers the questions about her husband. The compere takes note of her answers. Her husband then returns and he is asked the same questions. Marks are awarded for each correct answer. The roles are then reversed.

2. Call the Roll.
    "Ble mae Mrs. D?" "O! dyna chi." "Ydy Mrs. Y yma?" "Ydy. Dyma fi."

3. Invite members of the class to supply various objects which are placed on a tray or table. In order to retrieve their possessions, members must say "Dyna fy *m*hwrs i (from afar) and "Dyma fy *m*hwrs i" when they are near to the tray or table.

4. Identification Parade. All members line up for the visit of a renowned personage. Each is introduced with "Dyma / Dyna . . . Alternatively, members are suspects in a case of arson or theft!

5. Pretend that you are taking a friend around your new home, the office or town. Portray each object with an outline prescribed with your hand or finger. Your friend will make suitable remarks and ask questions.

6. Homework! Prepare a sentence and add as many extensions to it as possible.

12. Tacsi! Tacsi!

Huw:	Edrychwch. Tacsi.
Nest:	Wel, galwch e.
Huw:	Tacsi. A! Dyma fe.
Nest:	Cymerwch y bagiau, Huw.
Huw:	O'r gorau. Rhowch y bag mawr i *f*i.
Nest:	Dewch â'r bag bach i *f*i.
Huw:	Eisteddwch chi yn y cefn.
Nest:	Byddwch yn *o*falus, Huw.
Huw:	Brysiwch, *dd*ɥn. Rydɥn ni'n hwɥr.
Nest:	Dyma'r orsaf.
Huw:	Agorwch y drws. Peidiwch â gwastraffu amser.

12. Taxi! Taxi!

Huw:	Look. A taxi.
Nest:	Well, call it.
Huw:	Taxi. Ah! Here it is.
Nest:	Take the bags, Huw.
Huw:	Very well. Give me the big bag.
Nest:	Give me (Bring me) the little bag.
Huw:	You sit at the back.
Nest:	Be careful, Huw.
Huw:	Hurry, man. We are late.
Nest:	Here's the station.
Huw:	Open the door. Don't waste time.

★ ★ ★ ★ ★ ★ ★

Nest:	Codwch y bag mawr yn *g*ynta.
Huw:	O'r gorau. Cariwch *chi'r* bag bach.
Nest:	Chwiliwch am arian 'te.
Huw:	Arhoswch *f*unud. Dyma ni. A! Diolch.
Nest:	Gadewch i ni *f*ɥnd i'r platfform y *f*unud yma.
Huw:	Ewch *chi* i nôl y tocynnau.
Nest:	Esgusodwch *f*i. Dau *d*ocɥn i Lundain, os gwelwch chi'n *dd*a.
Huw:	Rhedwch. Mae'r trên i mewn.
Nest:	Dyma'r tocynnau, Huw.
Huw:	Rydɥch chi'n rhɥ hwɥr. Mae'r trên wedi mɥnd!
Nest:	Wedi mɥnd? O! na.

Nest:	Pick up the big bag first.
Huw:	Very well. *You* carry the little bag.
Nest:	Look for money, then.
Huw:	Wait a minute. Here we are. Ah! Thanks.
Nest:	Let us go on to the platform this minute.
Huw:	*You* go and fetch the tickets.
Nest:	Excuse me. Two tickets to London, please.
Huw:	Run. The train is in.
Nest:	Here are the tickets, Huw.
Huw:	You are too late. The train has gone!
Nest:	Gone? Oh no!

PATTERN PRACTICE

1.

| Galwch | y meddɥg
e/hi/nhw
bore yforɥ
ar ôl cinio
gyda fi/ gydag e/ gyda hi/ni/nhw | | O'r gorau |

2.

Cymerwch	y	ƒasged bwced (*bucket*) bag du llɥfr glas
	yr	esgidiau brown heddiw halen

3.

| Rhowch | gyfle (*chance*)
bunt
damaid (*a piece*)
amser
gap Tom | i ƒi |

4.

Gwrandewch (*Listen*)	arna i	
	ar eich	tad mam athrawes (*female teacher*)

5.

| Dewch â'r | cwbl
wɥau
wraig
ymenɥn
cyllɥll
piano | i'r stafell yma |

6.

| Eisteddwch | wrth y ffenest
ƒan yma (*in this place*)
ar unwaith
o gwmpas y tân (*around*) |

7.

| Byddwch yn | dawel
ofalus
gynnar
gysurus
siŵr | confortable, cosy |

8.

| Agorwch y | bagiau
drws
ffenest
ddesg
cwpwrdd
drôr
llenni   curtains |

9.

| Codwch | o'r gwelɥ yna
ar unwaith
am ƒunud
am saith
y brwsh acw
y carped |

10.

Cariwch y	_dd_ɥsgl (_bowl_) bag trwm yma ff_p_rc a'r llwɲau cwpanau a'r soseri coffor (_coffer_)

11.

Chwiliwch am	arian _l_e _d_egan i Alun y papur y tegell y llwɲ _d_e y llwɲ _b_wdin

12.

Gadewch i ni	_f_ɥnd i'r _o_rsaf _l_anhau'r silff _l_yfrau _w_eld (_see_)

13.

Ewch chi i'r siop	_g_ig _dd_illad _b_apurau _l_yfrau ffrwɲthau _d_eganau

14.

Peidiwch	â	_ph_oeni (_worry_) _ch_wɥno (_complain_) _th_alu nawr _ph_regethu cymaint (_so_ _ch_rɟo _much_)
	ag	anghofio'r bara

15.

Arhoswch _g_artre am	_dd_iwrnod dipɲn

Vocabulary (Geirfa):

bwced (_m_) — bucket
cefn (_m_) — back
dɥn (_m_) — man
man (_m_) — place, spot (cf. lle)
platfform (_m_) — platform
tacsi (_m_) — taxi
tamaid (_m_) — piece
tocɥn (_m_), (-nau) — ticket(s)

athrawes (_f_) — female teacher
dɥsgl, y _dd_ɥsgl (_f_) — bowl, dish
gorsaf, yr _o_rsaf (stesion) (_f_) — station
llwɲ _b_wdin (_f_) — dessert spoon
pennod, y _b_ennod (_f_) — chapter

byddwch — be
cariwch — carry

94

codwch — get up, lift
edrychwch ar — look at
eisteddwch — sit
ewch — go
gadewch — let, leave (from 'gadael')
gwrandewch — listen
cymaint — as much as, so much
cynta, yn gynta — first
gofalus, yn ofalus — careful
i mewn — in, into
nôl — to fetch
o gwmpas — around

rhagor — more
rhɥ — too
bagiau — bags
llenni — curtains
anghofio — to forget
credu — to believe
cwɥno — to complain
gweld — to see
poeni (pryderu) — to worry, be anxious
  about
pregethu — to preach
talu — to pay

Grammar (Gramadeg):

The Imperative Mood (Commands).

1. The 2nd person plural form is generally used in conversation and it is formed by adding -WCH to the stem of the verb e.g. eistedd-wch (sit), dangos-wch (show). cf. arhoswch (stay, wait), atebwch (answer), caewch (shut), dechreuwch (begin), dilynwch (follow), darllenwch (read), gofynnwch (ask), gorffennwch (finish), siaradwch (talk, speak).

2. The suffixes of some verbs are taken away to give the stem. e.g. verbs ending in -u, -o, -i, cf. dysg-u (to learn, teach), cod-i (to pick up, get up), gwisg-o (to wear) give 'dysgwch, codwch, gwisgwch'. Other suffixes which follow the same pattern are -eg (rhedeg—to run), -ɥll (sefɥll—to stand).

3. Verbs ending in -ta, -táu, -hau, change -a and -au to EWCH. e.g. caniatáu (to allow)—caniatewch; mwɥnhau (to enjoy)—mwɥnhewch; bwɥta (to eat)—bwɥtewch.

4. If the stem of the verb ends in -w, it elides with -wch. e.g. cadw (to keep)—cadwch, enwi (to name)—enwch, clywed (to hear)—clɥwch, galw (to call)—galwch.

5. The following forms are irregular:
   ewch (go) — from 'mɥnd'
   dewch (come) — from 'dod'
   gwnewch (do, make) — from 'gwneud'
   gadewch (leave, let) — from 'gadael'
   byddwch (be) — from 'bod'

6. Rhoi (give), gofɥn (ask), gadael (leave, let), caniatáu (allow) require 'i' (to) after them and they are followed by the soft mutation.
   e.g. Gadewch i ni gysgu yma.
         (Let us sleep here)

95

7. Note the following:

Gwrandewch ar Huw (Listen to Huw)
Dewch â'r bag i *f*i (Bring me the bag)
Ewch â'r ci allan (Take the dog out)
Chwiliwch am y papur (Search for the paper)

8. The indefinite and definite object takes the soft mutation after the Imperative:

Darllenwch *l*yfrau da (Read good books)
Gwisgwch *g*ap Tom (Wear Tom's cap)

9. The Welsh form for "don't" is "Peidiwch" (2nd person plural) or "Paid" (2nd person singular). They are generally followed by Â and the aspirate mutation of C, P, T e.g. Peidiwch â *ph*oeni (Don't worry), or AG before a vowel e.g. Peidiwch ag achwyn (Don't complain). Both Â and AG are often omitted in everyday conversation. e.g. Peidiwch colli'r trên.

(don't tell tales)

The singular form "Paid" is only used when the speakers know each other well or when children or domestic animals are addressed.

Exercises (**Ymarferion**):

1. Translate (Cyfieithwch):

1. Sit at the back.

   Eisteddwch (chi) yn y cefn.

2. Bring me the black bag.

   Dewch â'r bag du i *f*i.

3. Let's go to the station.

   Gadewch i ni *f*ynd i'r orsaf. (stesion)

4. Give us a chance.

   Rhowch *g*yfle i ni.

5. Open your bags.

   Agorwch eich bagiau.

6. Go and fetch the tickets.

   Ewch i nôl y tocynnau.

7. Sit by the window.

   Eisteddwch wrth y ffenest.

8. Give the heavy bag to me.

   Rhowch y bag trwm i fi.

9. Look for the kettle at once.

   Edrychwch am y tegell ar unwaith.

10. Listen to me. Go to the butcher's shop.

    Gwrandewch arna i. Ewch i siop y cigydd.

11. Be careful, children.

    Byddwch yn *o*falus, *b*lant.

12. Take the brown shoes.

....

Cymerwch yr esgidiau brown.

2. How would you command someone to do the following in Welsh?:

1. To call the taxi.

....

Galwch y tacsi.

2. To look here.

....

Edrychwch yma.

3. To take the blue book.

....

Cymerwch y llyfr glas.

4. To listen to you at once.

....

Gwrandewch arna i ar unwaith.

5. To give you a pound. (£)

....

Rhowch *b*unt i *f*i.

6. To search (look) for a toy for Alun.

....

Chwiliwch am (Edrychwch am) *d*egan i Alun.

7. To let you both go to the paper shop.

....

Gadewch i ni *f*ynd i'r siop *b*apurau.

8. To get up for a moment.

....

Codwch am *f*unud.

9. To be careful.

....

Byddwch yn *o*falus.

10. Not to worry.

....

Peidiwch â *ph*oeni.

11. To stay home for a while.

....

Arhoswch *g*artre am *d*ipyn (ychydig).

12. Not to forget the bread.

....

Peidiwch ag anghofio'r bara.

Activities:

1. Construct an imaginary taxi from four or five chairs and act out the scene with suitable sound effects!

2. Mime the verbs which have been learnt in Units 1-12 in rapid succession and let the others give a running commentary on your actions.
    Then let one group answer the question "Beth ydw i'n ei *w*neud nawr?" (What am I doing now?) and another to answer immediately "Mae e'n / hi'n . . . (This will give practice with 2nd and 3rd persons).
    Finally let more than one mime together in order to practise the plural forms "Rydych chi" and "Maen nhw". Should one splinter group wish to challenge the answers, this would give an opportunity for revising the negative forms!! (e.g. Dydych chi *dd*im yn . . . / Dydyn nhw *dd*im yn . . .)

97

3. Attention. One member of the group commands the others to perform certains actions, e.g. Dangoswch eich . . . (Show your . . .); Rhowch eich . . . i *f*i (Give your . . . to me); Ewch i'r . . . (Go to the . . .); Agorwch y . . . (Open the . . .); Caewch y . . . (Shut the . . .); Cerddwch o *g*wmpas y stafell (Walk around the room).

4. Command performance. Three or more members are commanded to perform a certain action. If any members do not obey the command, they are eliminated.

5. Face to face. Partners stand facing one another in a circle. One member in the centre commands the others to perform a certain action. They do so by acting and repeating the command. When the leader calls "All Change" (Newidiwch), members seek new partners and the person who was previously giving commands in the middle also tries to find a partner. The person who is without a partner becomes the new 'instructor'.

6. At the Double. One member shouts instructions and class members have to obey at the double. Failure to obey involves a forfeit!

REVISION UNIT 2

1. A. Patterns.

   1. Rydɟn ni'n mɟnd allan.   We are going out.
      Ydɟn ni'n mɟnd allan?   Are we going out?
      Dydɟn ni *dd*im yn mɟnd allan.   We aren't going out.

   ★ ★ ★ ★ ★ ★ ★

   2. Mae Huw a Nest yn Harlech.   Huw and Nest are in Harlech.
      Maen nhw yn Harlech.   They are in Harlech.
      Maen nhw'n hoffi Harlech.   They like Harlech.
      Ydɟ Huw a Nest yn hoffi Harlech?   Do Huw and Nest like Harlech?
      Ydɟn, maen nhw'n hoffi Harlech.   Yes, they like Harlech.
      Nac ydɟn, dydɟn nhw *dd*im yn   No, they don't like Harlech.
         hoffi Harlech.
      Mae Huw a Nest yn *b*obl hoffus.   Huw and Nest are likeable people.

   ★ ★ ★ ★ ★ ★ ★

   3. Mae gwraig gan Huw.   Huw has a wife.
      Oes gwraig gan Huw? Oes.   Has Huw (got) a wife? Yes.
      Oes *Humber* gan Huw? Nac oes.   Has Huw got a Humber? No.

   4. Mae car coch gen i.   I have a red car.
      Oes car coch gennɟch chi?   Have you (got) a red car?
      Oes, mae car coch gen i/ gyda ni.   Yes, I / we have a red car.
      Nac oes, does dim car coch gen i/   No, I / we haven't (got) a red car.
         gyda ni.

   ★ ★ ★ ★ ★ ★ ★

   5. Oes car glas ganddo fe / ganddi   Has he / she (have they) got a blue car?
         hi / ganddɟn nhw?
      Oes, mae car glas ganddo fe /   Yes, he / she has (they have) a blue car.
         ganddi hi / ganddɟn nhw.
      Nac oes, does dim car glas gan-   No, he / she hasn't got (they haven't
         ddo fe / ganddi hi / ganddɟn   got) a blue car.
         nhw.

   ★ ★ ★ ★ ★ ★ ★

99

6. Mae digon o *le* gyda ni.
   Oes digon o *le* gennɥch chi?
   Oes, mae digon o *le* gyda ni.
   Nac oes, does dim digon o *le* gyda ni.

   We have plenty of room.
   Have you got plenty of room?
   Yes, we have enough room.
   No, we haven't got plenty of room.

7. Mae Huw a Nest yn *b*obl hoffus.
   Pobl hoffus ydɥ Huw a Nest.
   (An emphatic sentence).

   Huw and Nest are likeable people.
   Huw and Nest are likeable people.

B.

Cue	Response
Mae'r llestri'n hardd	Ydɥn
Dydɥ'r plant *dd*im yma	Nac ydɥn
Maen nhw'n hen	Ydɥn
Dydɥn nhw *dd*im yn *dd*rud	Nac ydɥn
Rydɥn ni'n hwɥr	Ydɥn
Dydɥn ni *dd*im yn lwcus iawn	Nac ydɥn
Mae teulu gennɥch chi	Oes
Does dim brawd gennɥch chi	Nac oes
Mae plant ganddɥn nhw	Oes
Does dim plant ganddɥn nhw	Nac oes
Dyma'r castell	Ie
Nid dyma'r lle	Nage
Mae rhaid i ni *b*rynu rhagor	Oes
Peidiwch	O'r gorau / Pam?

C.

Commands	Responses
Edrychwch (*Look*)	O'r gorau
Galwch	
Cymerwch *G*ymraeg	Pam?
Gwrandewch	
Rhowch e i Mrs. Thomas	I *b*eth?
Dewch â'r . . .	
Eisteddwch . . .	*A*lla i *dd*im
Agorwch y ffenest	(*I can't*)
Codwch	
Cariwch	Prɥd?
Chwiliwch	
Arhoswch	Sut?
Ewch . . .	
Rhedwch	I ble?

Exercises (Ymarferion):

1. Respond creatively to the commands in C.
2. Change the following sentences so that the emphasis is on the adverbial phrase.
    e.g.   Mae'r parti nos yforɥ / Nos yforɥ mae'r parti.

    1. Mae'r rhaglen nawr.
    2. Mae Nest o ƒlaen y drɥch.
    3. Mae e yn y swɥddfa.
    4. Mae'r plant yn yr amgueddfa.
    5. Mae'r llestri ar y silff-ƀen-tân.
    6. Maen nhw ar y ffôn.
    7. Rydɥn ni'n cychwɥn am wɥth o'r gloch.
    8. Ydɥch chi'n canu heno?

3. Turn the following into the plural:

    1. Rydw i'n gwɥbod y stori.   (Rydɥn ni . . .)
    2. Mae e'n ddigon cynnar i'r Noson
       Lawen.   (Maen nhw)
    3. Oes plant ganddo fe?   (ganddɥn nhw)
    4. Mae rhaid i ƒi ƒɥnd i'r ysbytɥ ar
       unwaith.   (i ni)
    5. Does dim digon o amser gen i.   (gyda ni)
    6. Dyma fi o'r diwedd.   (Dyma ni)
    7. Dacw fe'n bwɥta fy misgedi i.   (ein bisgedi ni)

4. Complete the following making the necessary mutation changes:

    1. Ble mae fy (camera)?   (nghamera)
    2. Dyma ei (gwaith) e.   (waith)
    3. Rydɥn ni'n hoffi digon o (cwmni).   (gwmni)
    4. Edrychwch am ei (pêl) hi.   (phêl)
    5. Ydɥ fy (te) i'n ƀarod?   (nhe)
    6. Mae llawer o (bagiau) gennɥch chi.   (ƒagiau)
    7. Dydɥ'r (gwraig) ddim yn dda.   (wraig)
    8. Rydɥch chi'n (caredig) dros ƀen.   (garedig)

5. Directed conversation. Instruct members to accomplish certain actions. e.g. Fetch
   the tickets. Dwedwch wrth Tom am ƒɥnd i nôl y tocynnau—Ewch i nôl y tocynnau.

    1. Dwedwch wrth Tom am eistedd yn y cefn.   (Eisteddwch yn y cefn, Tom)
    2. Dwedwch wrth Mair am alw'r meddɥg.   (Galwch y meddɥg, Mair)
    3. Dwedwch wrth Gareth am ƒrysio.   (Brysiwch, Gareth)
    4. Dwedwch wrth Ann am redeg.   (Rhedwch, Ann)
    5. Dwedwch wrth Rhɥs am chwilio yn y drôr.   (Chwiliwch yn y drôr, Rhɥs)

101

6. Dwedwch wrth Iwan am *w*rando'n *o*falus. (Gwrandewch yn *o*falus, Iwan)
7. Dwedwch wrth Teifi am *g*odi ar unwaith. (Codwch ar unwaith, Teifi)
8. Dwedwch wrth Gwɲneth am *f*od yn *o*falus. (Byddwch yn *o*falus, Gwɲneth)
9. Dwedwch wrth Wil am *b*eidio â *ph*oeni. (Peidiwch â *ph*oeni, Wil) / Paid â *ph*oeni (singular form).

6. Translate the following sentences noting the difference between 'have'—to possess and 'have'—to get):

1. We have plenty of books (in our possession). Mae digon o *l*yfrau gyda ni.
2. We have lunch in town every day. Rydɲn ni'n cael cinio yn y dre *b*ob dɲdd.
3. He has a red Mini. Mae *Mini* coch ganddo fe.
4. He has his wine from Swansea. Mae e'n cael ei *w*in o Abertawe.
5. I have one daughter. Mae un *f*erch gen i.
6. I'm having more tomorrow. Rydw i'n cael rhagor yforɲ.

Activities:

1. Prɲd? (When?) Draw a series of clock-faces on the blackboard and suggest what activities happen at specific times. Different time-tables or the daily programme could be discussed.

2. True / False. Prepare a series of statements from Units 6-12 and let other members say whether they are true or false.

3. Dehydrated sentences. Write out skeleton sentences on pieces of paper and let your partners give the sentences in full.
    e.g. . . . i'n hoffi . . . ar y . . .

4. Prepare a narrative based on a combination of linguistic items found in Units 1-12. Read it to the class and ask members questions based on it.

13. Cinio Da.

Nest: Byddwch yn ʃachgen da, Huw.
Cymerwch y llestri a gosod-
wch y bwrdd. Mae cinio bron
yn ɓarod.

Huw: Ydɲ, gobeithio'n ѡir. Mae hi'n
un o'r ɡloch.

Nest: Dydɲ'r lliain bwrdd ddim yn
lân iawn.

Huw: Nac ydɲ.

Nest: Mae'r tatws bron yn ɓarod a
does dim llawer o ddŵr yn y
sosban.

Huw: Popeth yn iawn. Lliain, cyllɲll,
ffɲrc a llwɲau tra la la!

Nest: Edrychwch ar y cig. Oes digon
o halen gydag e?

Huw: O, nac oes, does dim hanner
digon. I lawr Mot! Dewch â'r
plât cig i ʃi, Nest. Diolch.

13. A Good Lunch.

Nest: Be a good boy, Huw. Take the
dishes and lay the table. Lunch
is nearly ready.

Huw: Yes, it is to be hoped indeed. It
is one o'clock.

Nest: The table-cloth isn't very clean.

Huw: No, it isn't.

Nest: The potatoes are nearly ready and
there isn't much water in the
saucepan.

Huw: All's well. Cloth, knives, forks
and spoons tra lah lah!

Nest: Look at the meat. Is there enough
salt with (on) it? (Is it salty
enough?)

Huw: Oh, no, there isn't half enough.
Down Mot! Bring me the
meat plate, Nest. Thanks.

★　★　★　★　★　★　★

Nest: O! Huw, fy mhwdin i. Mae e
wedi llosgi.

Huw: O! Nest, fy nhatws i. Maen nhw
wedi sychu.

Nest: Mot! Mot! Fy nghig i. Mae Mot
wedi bwɲta'r cig, Huw.

Huw: Rydɲn ni'n ɓobol lwcus. Does
dim cinio gyda ni. A does
dim pwdin gyda ni.

Nest: Peidiwch â ᵱhoeni, Huw bach.
Ewch i nôl y Ffordɲn a dewch
i'r Ceffɲl Gwɲn.

Nest: Oh Huw, my pudding. It's burnt.

Huw: Oh Nest, my potatoes. They
have dried up.

Nest: Mot! Mot! My meat. Mot has
eaten the meat, Huw.

Huw: We *are* lucky people. We have
no lunch. And we have no
pudding.

Nest: Don't worry, Huw dear. Go to
fetch the Ford and come to the
White Horse.

Huw:	O'r gorau. Mae'r Ceffyl Gwyn yn *westy* da. Ac mae arian gennych *chi*, gobeithio.
Huw:	Very well. The White Horse is a good hotel, and *you've* got money, I hope.

☆ ★ ★ ★ ★ ★ ★

(yn y Ceffyl Gwyn)		(in the White Horse)	
Nest:	Dydy'r dŵr *dd*im wedi sychu.	Nest:	The water hasn't dried up.
Huw:	Dydy'r reis *dd*im wedi llosgi.	Huw:	The rice hasn't burnt.
Nest:	Dydy Mot *dd*im yn ein poeni. Hwrê i'r Ceffyl Gwyn!	Nest:	Mot isn't bothering us. Hooray for the White Horse!

PATTERN PRACTICE

1.

Ydy'r car yn	barod? gyflym? (*fast*) lân? (*clean*) frwnt? (*dirty*)		Ydy, mae e'n Nac ydy, dydy e *dd*im yn	barod gyflym lân frwnt

2.

Byddwch yn	*f*achgen da *f*erch *dd*a *b*lant da *o*falus *d*awel

3.

Cymerwch y	llwy *b*wdin tegell tebot sebon *g*adair yma llestri bisgedi caws

4.

Dydy'r tywydd *dd*im yn	*w*lyb oer *dd*a *dd*rwg	iawn

5.

Mae'r cig	yn wedi	llosgi

104

6.

Mae e'n Mae e wedi	trwsio'r golau (*repair the light*) deall popeth bɥw yma dod ar y trên mɥnd i'r ysbytɥ dysgu Cymraeg gweithio yn Abertawe cyrraedd erbɥn swper bwɥta llawer o *g*ig cael digon o gyfle *(opportunity – chance)*

7.

Ydɥch chi wedi	çadw'r arian? pacio? bod (*been*) yn y gogledd? bod yn sâl? (*ill*) bod ar y teledu? gweld y ci?

8.

Ydɥ e'n / hi'n	darllen y papur? benthyca'r llyfrau?
Ydɥn nhw	wedi bod yn yr Eisteddfod? wedi cael cawl i swper?

9.

Dydw i Dydɥ e / Dydɥ hi Dydɥn ni Dydɥn nhw	*dd*im	wedi	deall cael swper eto (*yet*) cael cyfle eto yfed llawer bwɥta gormod gwrando ar *Panorama* heno

10.

Mae John	yn mɥnd (*is going*) wedi mɥnd (*has gone*) newɥdd ʃɥnd (has just gone)

Vocabulary (Geirfa):

Ffordyn (*m*) — a Ford car
gwesty (*m*) — hotel
lliain bwrdd (*m*) — table-cloth
plât (*m*) — plate

sosban (*f*) — saucepan

bron — nearly
brwnt, yn *frwnt* — dirty (cf. budr in North Wales)
cofiwch — remember

cyflym, yn *gyflym* — fast, quickly
glân, yn *lân* — clean
gosodwch — put, place
hanner — half
hwrê — hooray, hurrah
hyfryd — pleasant
i lawr — down
llosgi — to burn
mynd am *dro* — to go for a walk
sychu — to dry, wipe
yn sâl — ill

Grammar (Gramadeg):

1. The complement (after 'yn') takes the soft mutation of C, P, T, G, B, D, M.

   Mae e'n *f*achgen da.
   (He is a good boy).

   Mae hi'n *f*erch hardd.
   (She is a beautiful girl).

   Exceptions 'Ll' and 'Rh'.

   Mae Harlech yn lle hyfryd.
   (Harlech is a pleasant place).

   Mae'r stafell yn rhy *f*ach.
   (The room is too small).

   Notice another important exception:

   Mae'r tywydd yn braf (not '*f*raf'.)
   (The weather is fine).

2. Notice the difference between the Present and Past or Perfect tense of the verbs.

   Mae Nest *yn* pacio ei bag.
   (Nest is packing her bag).

   Mae Nest *wedi* pacio ei bag.
   (Nest has packed her bag).

3. When a pronoun is the object of a verb, (i.e. me, him, her, us, you, them), the possessive adjective belonging to that pronoun is placed before the verb, thereby becoming part of the pronoun object:

   e.g. Ydych chi'n *fy nghlywed i?*   Do you hear me?
         ei glywed e?   Do you hear him?
         ei gweld hi?   Do you see her?
         ein deall ni?   Do you understand us?
         eu nabod nhw?   Do you know them?
   cf. Dydy Mot *ddim* yn *ein poeni* (*ni*)   Mot does not bother us.

106

Exercises (Ymarferion):

1. Mutate the following nouns after 'Dyma': e.g. cr**p**s — dyma fy ***ngh*r**p**s i.**

   1. Trowsus

      Dyma fy *nh*rowsus i.

   2. Camera

      Dyma fy *ngh*amera i.

   3. Dosbarth

      Dyma fy *n*osbarth i.

   4. Bagiau

      Dyma fy *m*agiau i.

   5. Plât

      Dyma fy *mh*lât i.

   6. Gwraig (gŵr)

      Dyma fy *ng*wraig (*ng*ŵr) i.

2. Turn the following verbs into the past tense:

      e.g. Mae Nest yn pacio.
            Mae Nest wedi pacio.

   1. Mae Huw yn nôl y tocynnau.

      Mae Huw wedi nôl y tocynnau.

   2. Mae hi'n hoffi Sbaeneg.

      Mae hi wedi hoffi Sbaeneg.

   3. Mae'r trên yn cychwɲn.

      Mae'r trên wedi cychwɲn.

   4. Maen nhw'n sychu'r llestri.

      Maen nhw wedi sychu'r llestri.

   5. Mae'r carped yn llosgi.

      Mae'r carped wedi llosgi.

   6. Ydɲ e'n eich poeni chi?

      Ydɲ e wedi'ch poeni chi?

3. Turn into the Affirmative:

   1. Dydɲn ni *dd*im yn lwcus iawn.

      Rydɲn ni'n lwcus iawn.

   2. Dydɲn nhw *dd*im yn gwastraffu amser.

      Maen nhw'n gwastraffu amser.

   3. Dydɲ'r reis *dd*im wedi llosgi.

      Mae'r reis wedi llosgi.

   4. Does dim digon o halen gyda'r tatws yma.

      Mae digon o halen gyda'r tatws yma.

   5. Dydɲn ni *dd*im wedi talu.

      Rydɲn ni wedi talu.

4. Translate (Cyfieithwch):

1. Take the knives and forks and the dishes to the drawer at once.

....

Ewch â'r cyllpll a'r ffprc a'r llestri i'r drôr ar unwaith.

2. Be careful. The table-cloth is on the floor.

....

Byddwch yn ofalus. Mae'r lliain bwrdd ar y llawr.

3. Bring the plate to me, please.

....

Dewch â'r plât i fi, os gwelwch chi'n dda.

4. The water has dried up.

....

Mae'r dŵr wedi sychu.

5. I have been to the country.

....

Rydw i wedi bod (am dro) i'r wlad.

6. The shop is shutting. The library has shut.

....

Mae'r siop yn cau. Mae'r llyfrgell wedi cau.

7. Listen to me, children.

....

Gwrandewch arna i, blant.

8. Take the blue book to the bedroom.

....

Cymerwch y llpfr glas i'r stafell welp (or. Ewch â'r llpfr glas i'r stafell welp).

9. Don't forget the bread.

....

Peidiwch ag anghofio'r bara.

10. Stay at home for a few days.

....

Arhoswch gartre am ychydig ddyddiau.

Activities:

1. Bring along some of the objects mentioned in the dialogue (or pretend that you have them) and prepare a floorplan setting out on paper the layout of your room. Enact the scene. Accompany a dramatic turn of voice with suitable gestures, e.g. Fy mhwdin i!!

2. Record the dialogue on tape.

3. Prepare ten questions based on the dialogue for next session.

4. Before and After. Divide into two groups. Group 'A' will elect one person to perform a mime and the others will say "Mae e'n . . . " When the mime has been completed, group 'B' will say "Mae e wedi . . . " Group 'B' will then take over the miming.

5. Lost! Act the following with different objects and locations:

A. Rydw i wedi colli fy *mh*wrs.

B. Ble mae e?

A. Mae e tu ôl i'r cwpwrdd.

B wrth C. Edrychwch tu ôl i'r cwpwrdd ,'te.

D. Beth mae C yn ei *w*neud?

B. Mae e'n edrɥch tu ôl i'r cwpwrdd.

A wrth C. Ydɥ e yna?

C. Ydɥ, rydw i'n meddwl.

A. O! Diolch bɥth!

14. Wpthnos brysur.

Nest: Edrychwch ar eich dyddiadur, Huw. Beth sp gennpch chi nos Lun?

Huw: Rygbi sp gen i nos Lun.

Nest: Wel, beth sp nos Fawrth?

Huw: Mae pwpllgor yr Urdd nos Fawrth.

Nest: Oes rhpwbeth nos Fercher?

Huw: Oes, mae dosbarth nos gen i.

Nest: Rydpch chi'n mpnd i'r pwpllgor Eisteddfod nos Iau, siŵr o fod.

Huw: Ydw. Mae rhaid i ƒi ƒpnd y tro yma.

Nest: O, oes. A beth sp nos Wener?

Huw: Y Clwb Cinio Cymraeg, fel arfer. Mae hi'n wpthnos lawn.

Nest: Ydp, ond beth am nos Sadwrn? Dydpch chi ddim allan bob nos, does bosib!

Huw: Ydw, wrth gwrs. Mae Cymdeithas y Ceffpl Gwpn bob nos Sadwrn.

14. A busy week.

Nest: Look at your diary, Huw. What have you got on Monday night?

Huw: I've got rugby on Monday night.

Nest: Well, what's on Tuesday night?

Huw: The Urdd committee is on Tuesday night.

Nest: Is there anything on Wednesday night?

Huw: Yes, I've got an evening class.

Nest: You are going to the Eisteddfod committee on Thursday night, no doubt.

Huw: Yes, I must go this time.

Nest: Oh yes. And what's on Friday night?

Huw: The Welsh Lunch Club, as usual. It's a full week.

Nest: Yes, but what about Saturday night? You can't possibly be out every night!

Huw: Yes, of course I can. The White Horse Society is every Saturday night.

★   ★   ★   ★   ★   ★   ★

Nest: O'r gorau. Gofynnwch chi i ƒi nawr.

Huw: Wel, beth sp gennpch chi yr wpthnos nesa, Nest?

Nest: A! Dyma ni. Noson Goffi sp nos Lun. Pwpllgor Oxfam sp nos Fawrth.

Nest: Very well. You ask me now.

Huw: Well, what have you got next week, Nest?

Nest: Ah, here we are! It's (a) coffee evening on Monday night. Oxfam Committee on Tuesday night.

Huw:	Arhoswch *f*unud. A beth sɲ nos *F*ercher a nos Iau?	Huw:	Wait a minute. And what's on Wednesday night and Thursday night?
Nest:	Mae cyngerdd nos *F*ercher a drama nos Iau.	Nest:	There's a concert on Wednesday night and a play on Thursday night.
Huw:	Ewch ymlaen.	Huw:	Go on.
Nest:	Y capel sɲ nos Wener a'r . . .	Nest:	It's the chapel on Friday night and . . .
Huw:	O'r gorau. Dyna *dd*igon. Beth sɲ i swper?	Huw:	Very well. That's enough. What's for supper?
Nest:	Salad sɲ heno eto. Mae hi'n wɲthnos *b*rysur, Huw.	Nest:	It's salad tonight again. It's a busy week, Huw.

PATTERN PRACTICE

1.

Beth sɲ	gen i ganddo fe ganddi hi gan Huw / Nest gennɲn/gyda ni gennɲch chi ganddɲn nhw	nos *L*un? nos *F*awrth? heno? yforɲ? wɲthnos nesa? yn y swɲddfa?

2.

Beth sɲ	ar	y	radio? teledu? silff-*b*en-tân? bwrdd? strɲd?		Newyddion Chwaraeon (*games*) Darlun (*picture*) Bwɲd Car a bws	sɲ	ar y	radio teledu silff-*b*en-tân bwrdd strɲd

3.

Beth sɲ am	*dd*au *d*ri *b*edwar *b*ump *dd*eg *dd*euddeg	o'r *g*loch?

4.

Beth sɲ i	*f*recwast? *g*inio? *d*e? swper?	(Nid)	Cig moch (*bacon*) ac wɲ Tatws a *ch*ig Bara menɲn a *th*eisen Tatws newɲdd a *ph*ɲs	sɲ i	*f*recwast *g*inio *d*e swper

111

5.

Beth sy'n	eistedd dan y bwrdd? bod? digwŷdd (*happening*)? cadw sŵn (*keeping a noise*)?

6.

Beth sŷ	wedi	sychu? llosgi? 'ch poeni chi? bwŷta'r cig? bod ar y teledu? yfed y llaeth? dod heddiw?

7.

Beth sŷ	o *f*laen y *dd*rama? ar ôl y ne*w*yddion? wed*ŷ*n? dŷdd Sadwrn nesa? *b*ob nos? wŷthnos nesa? mis nesa (*next mon'h*)? tu allan? tu *f*ewn? wrth y ffenest? yn y capel?

8.

Mae Does dim	rhaid i *f*i *f*ŷnd	i	*w*eithio *b*acio *f*enthyca llyfrau *w*rando ar y rhaglen
			yn *g*ynnar ar unwaith

9.

Gofynnwch chi	i'r	plant gŵr *w*raig
	iddo fe iddi hi	
	i'ch	ffrindiau mam tad dosbarth athrawes

112

Vocabulary (Geirfa):

capel (*m*) — chapel
clwb (*m*) — club
darlun (*m*) — picture
dyddiadur (*m*) — diary
pwyllgor (*m*) — committee
swn (*m*) — noise
tro (*m*) — time, turn

Cymdeithas (*f*) — Society
Eisteddfod (*f*) — Eisteddfod
teisen, y *d*eisen (*f*) — cake

wythnos (*f*) — week
Yr Urdd (*f*) — The Welsh League of Youth

chwaraeon — games
digwydd — to happen
fel arfer — as usual
gofynnwch — ask
llawn, yn llawn — full
pys — peas

Grammar (Gramadeg):

Note the following uses of 'sy', (the relative, 3rd singular form of 'bod' (to be), in inverted or emphatic sentences where the subject or complement is placed first for emphasis.

1.   'sy' is preceded by the subject.

2.   It is followed by: (i)   'yn' or 'wedi' + a participle
                       (ii)   an adjective
                       (iii)   an adverb
                       (iv)   a prepositional phrase
                       (v)   an indefinite noun

    e.g.   (i)   Y cig sy'n llosgi
                       sy wedi llosgi
                  It is the meat that is burning   (yn / wedi + participle)
                                 has burnt
           (ii)   Y pwdin sy'n *b*arod
                  It is the pudding that is ready   (adjective)
          (iii)   Y postmon sy yma
                  It is the postman who is here   (adverb)
         (iv)   Y plant sy yn y parlwr
                  It is the children who are in the parlour   (prepositional phrase)
         (v)   Huw sy'n Gymro
                  It is Huw who is a Welshman   (indefinite noun)

3.   Note the following pronoun subject:

        *F*i sy yma
        It is I who is here

4. Question forms: (a) Pwy sy . . . ? (Who is . . . ?) Pwy sy (*fan*) acw?
   Who is over there?

   (b) Beth sy . . . ? (What is . . . ?) Beth sy 'ma?
   What's here?

5. The normal order is often used in reply to questions beginning with 'Beth sy . . . ?'
   e.g. Beth sy yn yr ysgol?

   Cyngerdd sy yn yr ysgol / Mae cyngerdd yn yr ysgol.
   There is a concert in the school.

Exercises (Ymarferion):

1. Answer (Atebwch):
   1. Beth sy nos *Lun*, Huw?

      . . . .
      Gêm rygbi sy nos *Lun*.

   2. Beth sy nos *Fawrth*, Huw?

      . . . .
      Pwyllgor yr Urdd sy nos *Fawrth*.

   3. Beth sy nos *Fercher*, Huw?

      . . . .
      Dosbarth nos sy nos *Fercher*.

   4. Beth sy nos Iau, Nest?

      . . . .
      Drama sy nos Iau.

   5. Beth sy nos *Wener*, Nest?

      . . . .
      Y capel sy nos *Wener*.

   6. Beth sy i *frecwast*?

      . . . .
      Cig moch ac wy sy i *frecwast*.

   7. Beth sy i *de*?

      . . . .
      Bara menyn a *theisen* sy i *de*.

   8. Beth sy i *ginio*?

      . . . .
      Tatws a *chig* sy i *ginio*.

   9. Beth sy i swper?

      . . . .
      Tatws newydd a *phys* sy i swper.

2. Translate (Cyfieithwch):
   1. What's on the table?

      . . . .
      Beth sy ar y bwrdd?

   2. What have you got on Monday night? . . . .
      Beth sy gennych chi nos *Lun*?

   3. What's at four o'clock?

      . . . .
      Beth sy am *bedwar* o'r gloch?

   4. What's sitting under the chair?

      . . . .
      Beth sy'n eistedd dan y *gadair*?

   5. What has (been) burnt?

      . . . .
      Beth sy wedi llosgi?

6. What's happening today?

7. What's after the news on the radio?

8. I must go to work.

9. Ask him "Where are his friends?"

10. What's outside the chapel?

....
Beth sŷ'n digwŷdd heddiw?
....
Beth sŷ ar ôl y newyddion ar y radio?
....
Mae rhaid i ƒi ƒŷnd i weithio.
....
Gofynnwch iddo "Ble mae ei ffrindiau?"
....
Beth sŷ tu allan i'r capel?

Activities:

1. Prepare a set of cards with the names of the days (and nights) of the weeks on them. On another set of cards (which are different either in shape or colour) write the names of the social and business activities which members normally attend. Place both sets of cards in a bag, let every one take out two cards and say what particular event is taking place on a particular day (or evening).

2. Discuss in pairs what (a) you
   (b) your wife, brother or sister are doing during the coming week.

3. Take over from the tutor and take the part of Quizzie Lizzie (or Larry) who wants to know what everyone is doing and when.

4. Construct a Class Diary on the blackboard, e.g. Dosbarth Gwnïo sŷ gan Mrs. Lewis a Mrs. Evans nos Fawrth.

5. Television Tillie. Tillie is the expert on television programme information. She is appearing on a new television quiz where she answers questions on Television Programmes and Personalities. Pretend that you are in the studio complete with cameramen and audience (plus adverts.)

6. Beth sŷ gennŷch chi? (What have you got?) Bring one object to the class session. Place it on the Old Curiosity Table, describe it and try to sell it.

7. Extend the sentences in the Pattern Practice.

15. Galw'r Meddɥg.

Nest: Huw, golchwch y llestri, cliriwch y bwrdd a dewch i ɥneud y gwelɥ.

Huw: Pam, beth sɥ'n bod? Pwy sɥ 'na?

Nest: Y meddɥg. Fe fɥdd e yma cɥn bo hir.

* * * * * * *

Huw: O, chi sɥ yna, doctor. Esgusodwch y llestri brwnt, da chi. Roeddwn i'n darllen am y rasɥs ceffylau.

Y Meddɥg: Popeth yn iawn. Sut rydɥch chi i gɥd heddiw?

Huw: O, dim hanner da. Mae annwɥd trwm arna i ac roedd poen gen i yn fy *ngh*lust drwɥ'r dɥdd *dd*oe.

Y Meddɥg: Mae pen tost ofnadwɥ arna i hefɥd.

Huw: Tewch!

Y Meddɥg: Sut mae Nest erbɥn hɥn?

Huw: Mae hi yn ei gwelɥ o hɥd. Peswch, peswch, pesychu o hɥd.

Y Meddɥg: *D*ruan â hi. Mae afiechɥd mawr ymhobman.

Huw: Oes yn *w*ir. Mae'r tywɥdd mor *w*lɥb. Glaw, glaw *b*ob dɥdd.

* * * * * * *

Yn
(~~Ar~~ y llofft).

Nest: Dewch i mewn.

Y Meddɥg: Sut hwɥl, Nest?

15. Calling the Doctor.

Nest: Huw, wash the dishes, clear the table and come and make the bed.

Huw: Why, what's the matter? Who's there?

Nest: The doctor. He will be here before long.

Huw: Oh, it is you (who's there), doctor. Excuse the dirty dishes, for goodness sake. I was reading about the horse races.

The Doctor: Everything is (that's) alright. How are you all today?

Huw: Oh, not half (at all) well. I have a heavy cold and I had pain in my ear (earache) all day yesterday.

The Doctor: I have a terrible headache too.

Huw: You don't say!

The Doctor: How is Nest by now?

Huw: She is still in (her) bed. Cough, cough, coughing all the time.

The Doctor: Poor thing! There is a lot of illness about (everywhere).

Huw: Yes indeed. The weather is so wet (damp). Rain, rain every day.

(Upstairs)

Nest: Come in.

The Doctor: How are you, Nest?

116

Nest:	O, lled *dd*a, diolch. Mae rhaid i *f*i *b*eidio ag achwɲn.	Nest:	Oh, fair, thanks. I musn't complain.
Y Meddɲg:	Mae tipɲn o *w*res gennɲch chi.	The Doctor:	You have quite a temperature.
Nest:	Oes e? Mae'r *b*oen wedi mɲnd, diolch bɲth.	Nest:	Is there? The pain has gone, thank goodness.
Y Meddɲg:	Arhoswch chi yn eich gwelɲ am ychydig *dd*yddiau. Mae Huw'n gofalu am y tɲ̂.	The Doctor:	Stay in (your) bed for a few days. Huw is looking after the house.
Nest:	Dydɲ Huw, *d*ruan, *dd*im yn hoffi golchi'r llestri a *ch*lirio'r bwrdd. Ond mae e'n gwneud ei *o*rau, chwarae teg iddo.	Nest:	Poor Huw doesn't like washing the dishes and clearing the table. But he is doing his best, fair play to him.
Y Meddɲg:	Mae'n *dd*a gen i *g*lywed hynnɲ. Huw, dyma ffisig a *th*abledi. Yna, cofiwch *o*lchi'r llestri, clirio'r bwrdd a gwneud y gwelɲ. Fe *f*ɲdd pawb yn *w*ell yforɲ.	The Doctor:	I'm glad to hear that. Huw, here's medicine and tablets. Then, remember to wash the dishes, clear the table and make the bed. Everybody will be better tomorrow.
Huw:	Diolch i chi am *a*lw, doctor.	Huw:	Thank you for calling, doctor.
Y Meddɲg:	Dim o *g*wbl. Cymerwch *dd*iferɲn bach o 'rum' wrth *f*ɲnd i'r gwelɲ. Ond dim gormod cofiwch!	The Doctor:	Not at all. Take a little drop of rum on going to bed. But not too much remember!
Huw:	Syniad da *d*ros *b*en.	Huw:	An extremely good idea!

PATTERN PRACTICE

1.

Mae Does dim	ofn (*I am afraid*) 'r *dd*annodd (*toothache*) annwɲd peswch syched (thirst) hiraeth awɲdd (*desire*) pen tost (cur pen in N.W.)	arna i
	gwres (*temperature*) gwddw tost (*sore throat*) poen	gen i

117

2

Sut mae'r	gŵr ? wraig ? plant ? teulu ? . annwyd ?

3.

Mae e'n / hi'n	dda iawn wael iawn (*very ill*) sâl iawn (*very ill*)	Ydy
Maen nhw'n	weddol (go lew) well waeth (*worse*) heddiw gwella, diolch	Ydyn
Maen nhw dipyn yn well		

4.

Mae'n	ddrwg dda	gen i	glywed (*I am sorry to hear*) ,, (*I am glad to hear*) ddweud (*to say*)

5.

Mae'r tywydd	yn mor (*so*)	oer (*cold*) sych (*dry*) wlyb (*wet*) boeth (*hot*) gynnes (*warm*) braf (*fine*)	Ydy wir

Mae hi'n Dydy hi ddim yn	oer sych wlyb boeth gynnes gymylog (*cloudy*)

118

6.

Mae	ychydig llawer gormod	o	bobl afiechyd (illness) draffig	o gwmpas	Oes

7.

Rydw i'n Mae e'n Mae hi'n Rydyn ni'n Rydych chi'n Maen nhw'n	ofalus brysur hapus oer sâl anlwcus (unlucky) rhydd (free) ddiflas	drwy'r	dydd amser bore prynhawn nos

8.

Mae	Huw Nest	yn	sâl dal (tall) denau (thin) gynnar drwm (heavy) gryf (strong)	ond mae'r plant yn	iach (healthy) fyr (short) dew (fat) hwyr ysgafn (light) wan (weak)

9.

Dyma'r tabledi		Dyma	dabledi	i	chi Huw Nest

10.

Mae'r gŵr a'r wraig a'r bachgen yma. (*Definite*)
Mae gŵr a gwraig a bachgen yma. (*Indefinite*)

11.

Mae e	'n wedi	gwella

119

Vocabulary (Geirfa):

afiechyd (*m*) — illness
annwyd (*m*) — a cold
clust (*m*), (-iau) — ear(s)
ffisig (moddion) (*m*) — medicine
gorau (orau) — best
gwddw tost (*m*) — sore throat
gwres (*m*) — temperature, heat
pen tost (cur pen) (*m*) — headache
peswch (*m*) — a cough
syniad (*m*) — idea
tywydd (*m*) — weather

poen (*f*) — pain
troed, (y *d*roed) (*f*) — a foot (feet)
    (traed)

achwyn — to complain   cwyno
anlwcus — unlucky
beth sy'n bod? — what's the matter?
bwrw glaw — to rain
byr, (yn *f*yr) — short
caled (yn *g*aled) — hard, difficult (cf.
                       anodd)
cliriwch — clear
cymylog, yn *g*ymylog — cloudy

cynnar, yn *g*ynnar — early
cyn bo hir — before long
diflas, yn *dd*iflas — miserable
diweddar, yn *dd*iweddar — late (cf.
                 hwyr)
*d*ros *b*en — extremely
erbyn hyn — by now
golchwch — wash
gwael, yn *w*ael — ill, bad
gwaeth, yn *w*aeth — worse
gwell, yn *w*ell — better
gwlyb, yn *w*lyb — wet
hanner — half
iach, yn iach — healthy
o *g*wmpas — around
pobman, ymhobman — everywhere
rhydd, yn rhydd — free, loose
sâl, yn sâl — ill
sych, yn sych — dry
tabledi — tablets
teimlo — to feel
tenau, yn *d*enau — thin
tew, yn *d*ew — fat
tewch! — be quiet (you don't say—an
                idiom)

Grammar (Gramadeg):

I.

Statement	Response
1. Mae'r tywydd yn oer	Ydy (*Yes, it is*)
2. Mae hi'n braf	Ydy
3. Mae castell yn Harlech	Oes
4. Mae llyfr da gen i	Oes
5. Mae'r llestri'n hardd	Ydyn
6. Maen nhw'n hen iawn	Ydyn
7. Dydy'r tywydd *dd*im yn gynnes iawn	Nac ydy
8. Dydy hi *dd*im yn bwrw glaw	Nac ydy
9. Does dim digon o *l*o yma	Nac oes
10. Dydy'r ffenestri *dd*im ar agor	Nac ydyn
11. Dydyn nhw *dd*im wedi gwella	Nac ydyn
12. Rydych chi'n *w*ell, Mrs. Jones	Ydw

120

2. Notice the soft mutation:

    (a) of the adjective after YN (except LL and RH)
        Mae Huw yn *dal*. *but* Mae'r *f*asged yn llawn. (*full*)
    (b) definite or indefinite object after DYMA:
        Dyma *d*abledi i chi.
        (*Here are tablets for you*).
        Dyma *g*ap John
        (*Here is John's cap*)

3. Note the idiomatic use of the preposition "ar":

    e.g. Mae annw*p*d arna i.
        (*I have a cold*).
        Mae pen tost arna i. ('cur pen' in North Wales).
        (*I have a headache*).

4. Note the difference between the Definite and Indefinite forms in Frame No. 10 of Pattern Practice.

5. Note: (i) Mae e'n gwella.
                (*He is getting better*).
        (ii) Mae e wedi gwella.
                (*He has got better*).
    Note: There is no 'n' after the 'e' in (ii).

6. Two examples of the Future Tense have been introduced.

    e.g. Fe *f*ydd e yma c*p*n bo hir.
        (*He will be here before long*).

7. The Imperfect Tense forms 'Roeddwn i . . .' (I was) and 'roedd' (3rd singular 'was') are dealt with fully in Unit 25.

Exercises (Ymarferion):

1. Translate (Cyfieithwch):

1. Good day.

      . . . .
      D*p*dd da.

2. How's the (your) wife?

      . . . .
      Sut mae'r *w*raig?

3. What's the matter with you, Nest?

      . . . .
      Beth s*p*'n bod arnoch chi, Nest?

4. I have a headache.

      . . . .
      Mae pen tost arna i.

5. We have a heavy cold.

      . . . .
      Mae annw*p*d trwm arnon ni.

6. Huw has a cough.

      . . . .
      Mae peswch ar Huw.

7. They are extremely busy.

....
Maen nhw'n *brysur dros ben.*

8. There's a good deal of illness around.

....
Mae llawer o afiechyd o *gwmpas.*

9. Get better soon.

....
Brysiwch *wella'n fuan.*

10. Here's medicine for me and tablets for you.

....
Dyma ffisig i *f*i a *th*abledi i chi.

11. Huw and Nest are with the doctor.

....
Mae Huw a Nest gyda'r meddyg.

12. The children are all healthy, thank you.

....
Mae'r plant i gyd yn iach, diolch.

2. Change into the negative. (Trowch i'r negyddol):

1. Mae annwyd arna i.

....
Does dim annwyd arna i.

2. Mae peswch ar Nest.

....
Does dim peswch ar Nest.

3. Mae pen tost arnyn nhw.

....
Does dim pen tost arnyn nhw.

4. Rydw i'n *brysur.*

....
Dydw i *dd*im yn *brysur.*

5. Mae'r tywydd yn *wlyb iawn.*

....
Dydy'r tywydd *dd*im yn *wlyb iawn.*

3. Change into the plural (Trowch i'r lluosog):

1. Mae gwres arna i.

....
Mae gwres arnon ni.

2. Mae peswch cas arno fe.

....
Mae peswch cas arnyn nhw.

3. Mae'n *dd*a gen i *g*lywed.

....
Mae'n *dd*a gyda (gennyn) ni *g*lywed.

4. Mae hi'n *d*enau *d*ros ben.

....
Maen nhw'n *d*enau *d*ros ben.

4. Give sentences containing words opposite to those given in brackets.

1. Mae hi'n (*g*ynnar).

....
Mae hi'n hwyr.

2. Mae e'n (*g*ryf) *d*ros ben.

....
Mae e'n *w*an *d*ros ben.

3. Rydw i'n (sych).

....
Rydw i'n *w*lyb.

122

4. Maen nhw'n (dal).

....
Maen nhw'n ffir.

5. Dydpn nhw ddim yn (dda).

....
Dydpn nhw ddim yn ddrwg (sâl, dost).

Activities:

1. Enact the Doctor's Waiting Room Scene, each with his particular complaint. One person will give a running commentary on the situation as it develops,

    e.g. "Mae Mr. ABC yn dod i mewn. Mae hi'n naw o'r gloch. Mae annwpd trwm arno fe." You will need a doctor, receptionist, telephonist etc. and a good supply of books

2. What's my Whine!? Mime a particular ailment and let the others suggest what the complaint is:

    e.g. Beth sp'n bod arna i?

3. Pretend that you are the 'weather man'. Depict the weather for different parts of the country using appropriate pictorial effects.

4. Prepare a short story, read it aloud and ask questions based on it.

UNED (UNIT) 16

16. Yn y Siop.

Nest: Mae eisiau afalau arna i.

Siopwr: Oes eisiau rhywbeth arall?

Nest: Oes, mae eisiau bisgedi arna i, os gwelwch chi'n dda.

Siopwr: Bisgedi? O'r gorau. Dyma chi. Oes eisiau hufen iâ arnoch chi?

Nest: Nac oes, dim heddiw diolch.

Siopwr: Sosej, jeli, jam a mwstard, llaeth, teisennau, coffi, cwstard?

Nest: Potelaid o laeth.

Siopwr: Pwys o afalau, potelaid o laeth. O, mae wyau ffresh gen i hefyd.

Nest: O'r gorau. Dewch â dwsin i fi.

16. In the Shop.

Nest: I want apples.

Shopkeeper: Do you want anything else?

Nest: Yes, I want biscuits, please.

Shopkeeper: Biscuits? Very well. Here you are. Do you want ice-cream?

Nest: No, not today thanks.

Shopkeeper: Sausage, jelly, jam and milk, cakes, coffee, custard?

Nest: A bottle of milk.

Shopkeeper: A pound of apples, a bottle of milk, Oh yes, I've got new laid eggs too.

Nest: Very well. Bring me a dozen.

★ ★ ★ ★ ★ ★ ★

Siopwr: Oes eisiau bargen arnoch chi?

Nest: Pam? Beth sy gennych chi?

Siopwr: Mae tatws newydd Sir Benfro gen i.

Nest: Faint ydyn nhw?

Siopwr: Swllt y pwys.

Nest: Diar annwyl. Maen nhw'n rhy ddrud.

Siopwr: Rhy ddrud? O, chwarae teg. Maen nhw'n rhad am swllt y pwys.

Nest: Mae digon o datws gen i, beth bynnag.

Siopwr: Hen datws!

Nest: Ie, hen datws.

Siopwr: Popeth yn iawn. Oes rhywbeth arall, 'nghariad i?

Shopkeeper: Do you want a bargain?

Nest: Why? What have you got?

Shopkeeper: I've got new Pembroke-shire potatoes.

Nest: How much are they?

Shopkeeper: Shilling a pound.

Nest: Dear me. They are too expensive.

Shopkeeper: Too dear? Oh, fair play (be fair). They're cheap at a shilling a pound.

Nest: I've got plenty of potatoes, anyway.

Shopkeeper: Old potatoes.

Nest: Yes, old potatoes.

Shopkeeper: Very well. Is there anything else, (my) love?

124

Nest:	Nac oes, dim nawr. Faint ydɥ'r cwbl?	Nest:	No, not now. How much is all that?
Siopwr:	Pymtheg swllt ydɥ'r cwbl, os gwelwch chi'n *dda*.	Shopkeeper:	Fifteen shillings the lot, please.
Nest:	Oes bocs bach gennɥch chi? Does dim basged gen i'r bore yma.	Nest:	Have you got a small box? I haven't got a basket this morning.
Siopwr:	Oes, oes. Dyma chi—am *dd*im! Rhowch nhw yn y bocs yma, ond byddwch yn *o*falus cofiwch.	Shopkeeper:	Yes, yes. Here you are—free! Put them in this box, but be careful remember.
Nest:	Diolch. Da boch chi. O! mae'r wɥau wedi torri.	Nest:	Thanks. Cheerio. Oh, the eggs have broken.
Siopwr:	Wɥau ffresh hefɥd!	Shopkeeper:	New laid eggs too!

PATTERN PRACTICE

1a.

Mae eisiau	wɥau dyddiadur cinio	arna i

1b.

Beth sɥ eisiau	arna i? ar Huw? arno fe? ar Nest? arni hi? arnon ni? arnoch chi? arnɥn nhw?

Cig moch ac wɥ Tatws newɥdd Teisen Cyllɥll a ffɥrc Sebon Esgidiau brown Teganau	sɥ eisiau	arna i ar Huw arno fe ar Nest arni hi arnon ni arnoch chi arnɥn nhw

2.

Beth sɥ'n bod arnoch chi?	Annwɥd trwm Peswch Syched Hiraeth Pen tost (cur pen)	sɥ arna i

125

3.

Oes eisiau	cig moch cwmni cwpanau paratoi brecwast mɥnd yn *gynnar* cael sgwrs benthyca llyfrau	arnɥn nhw?	Oes, mae eisiau	cig moch cwmni cwpanau paratoi brecwast mɥnd yn *gynnar* cael sgwrs benthyca llyfrau	(arnɥn nhw)

4.

Beth sɥ gennɥch chi?	Ffisig (moddion) Tabledi Potel-*dd*ŵr-poeth Bara ymenɥn	sɥ gen i

5.

Mae Does dim	bananas orennau afalau ffrwɥthau llysiau digon o *f*wɥd gormod o *b*wdin llawer o *b*lant	gen i

6.

Blodau? Cnau? (*Nuts*) Pysgodɥn? (*Fish*) Bresɥch? (*Cabbage*) Llysiau? (*Vegetables*) Moron? (*Carrots*)	Os gwelwch chi'n *dd*a Dim diolch

7.

Maen nhw'n rhɥ	*dd*rud *f*awr *f*ach *g*ynnar *d*al *f*ɥr ysgafn

126

8.

| Faint ydɥ'r | nofel yma?
cwbl?
bwɥd?
bisgedi?
petrol?
olew? | Chwecheiniog (6d.)
Swllt (1/-)
Deunaw (1/6)
Dau swllt (2/-)
Coron (5/-) (pum swllt) |

9.

| Rhowch e/hi/nhw | yn y bocs mawr
yn y bocs bach arall yna
dan y bwrdd
wrth y ffenest
o ƒlaen y tân
y tu allan i'r stafell
tu ƒewn i'r neuadd (*hall*)
o *g*wmpas y blodau |

Vocabulary (Geirfa):

afal (*m*), (-au) — apple(s)
hufen iâ (*m*) — ice-cream
oren (*m*), (-nau) — orange(s)
pwɥs (*m*) — a pound (lb.)
pysgodɥn (*m*) — fish
swllt (*m*) — a shilling

bargen (*f*) — bargain
coron (*f*) — a crown
potel-*dd*ŵr-poeth (*f*) — a hot water bottle
sir (*f*) — county
teisen(*f*) — cake (cf. cacen-nau)

am *dd*im — free of charge (for nothing)
blodau — flowers

bresɥch — cabbage
cnau — nuts
dau swllt — two shillings
deunaw — 1/6
drud, yn *dd*rud — dear, expensive
dwsin — a dozen
ffresh — fresh (new laid)
ffrwɥthau — fruit
hanner coron — 2/6 (half a crown)
llysiau — vegetables
moron — carrots
potelaid — bottleful
pymtheg — fifteen
pɥs — peas
rhad, yn rhad — cheap
Sir Benfro — Pembrokeshire
tatws newɥdd — new potatoes

Gramadeg (Grammar):

1. Note the difference between the normal sentence and the emphatic sentence: (cf. Units 14, 17).

> Mae eisiau pwɥs o afalau arna i.
> I want a pound of apples.

> Pwɥs o afalau sɥ eisiau arna i.
> It is a pound of apples which I want.

127

It is incorrect to use 'Mae' and 'sy' in a sentence which does not include a relative clause.

    e.g.   Cyllell sy ar y bwrdd *not* Mae cyllell sy ar y bwrdd.
           It is a knife which is on the table.

2. Note the soft mutation after 'rhy' (too)—rhy *dd*rud. (except 'll' and 'rh').

3. The 'fy' is sometimes omitted in spoken Welsh but the word following it takes the nasal mutation,
    e.g.   '*ngh*ariad i' (fy *ngh*ariad i)

4. Note the position of 'arall' (other) in the example:
    Mae e yn y bocs bach *arall*.
    It is in the *other* little box.

Exercises (Ymarferion):

1. Translate (Cyfieithwch):

(a)

I want	meat and potatoes knives and forks vegetables yellow flowers a little box	Mae eisiau	cig a *th*atws cyll*y*ll a ffyrc llysiau blodau mel*y*n bocs bach	arna i.

(b)

They are too	light early small dear miserable ill	Maen nhw'n rhy	ysgafn *g*ynnar *f*ach *dd*rud *dd*iflas sâl

(c)

How much is the	oil? lot? food?	Faint ydy'r	olew? cwbl? bwyd?

2. Change the following sentences into emphatic sentences (Newidiwch y brawdd-egau yma'n *f*rawddegau pwyslais):
    e.g.   Mae annwyd arna i — Annwyd sy arna i.

1. Mae potel-*dd*ŵr-poeth gen i.
    . . . .
    Potel-*dd*ŵr-poeth sy gen i.

2. Mae bechgyn ganddo fe.
    . . . .
    Bechgyn sy ganddo fe.

3. Mae hiraeth arni hi.
    . . . .
    Hiraeth sy arni hi.

4. Mae pen tost ar Nest.
    . . . .
    Pen tost sy ar Nest.

5. Mae'r cig wedi llosgi.
    . . . .
    Y cig sy wedi llosgi.

6. Mae Huw yn cyrraedd erbᵾn swper.
   ....
   Huw sᵱ'n cyrraedd erbᵾn swper.

7. Mae'r *w*raig yn pacio.
   ....
   Y *w*raig sᵱ'n pacio.

8. Mae camera Dilᵱs ar *g*oll.
   ....
   Camera Dilᵱs sᵱ ar *g*oll.

9. Mae eisiau afalau ac orennau arnᵱn
   nhw.
   ....
   Afalau ac orennau sᵱ eisiau arnᵱn nhw.

10. Mae eisiau cwpanau ar y bwrdd.
    ....
    Cwpanau sᵱ eisiau ar y bwrdd.

3. Answer (Atebwch):

1. Oes eisiau bisgedi ar Nest?
   ....
   Oes, mae eisiau bisgedi ar Nest.

2. Ydᵱ hi yn siop y groser?
   ....
   Ydᵱ, mae hi yn siop y groser.

3. Faint ydᵱ'r cwbl?
   ....
   Pymtheg swllt ydᵱ'r cwbl.

4. Ydᵱ'r tatws newᵱdd yn rhᵱ *dd*rud i
   Nest.
   ....
   Ydᵱn, mae'r tatws newᵱdd yn rhᵱ
   *dd*rud i Nest.

5. Ydᵱch chi'n hoffi wᵱau?
   ....
   Ydw, rydw i'n hoffi wᵱau.
   (Nac ydw, dydw i *dd*im yn hoffi wᵱau).

6. Oes llaeth a *ch*offi gan y siopwr?
   ....
   Oes, mae llaeth a *ch*offi gan y siopwr.

Activities:

1. Make a collection of empty cartons etc. to simulate a grocer's shop and enact the scene. If it is a supermarket, it will have still bigger linguistic possibilities. Perhaps the ladies will prefer to have a Boutique!

2. Game—Chinese Laundry. Two teams. The Laundry man invites members of the teams to furnish him with suitable objects and clothing and allots marks. These objects etc. can then be used as a means of further oral work, using constructions already learnt.

3. The Travelling Salesman. One is the salesman and the other is the buyer. This can be accomplished with or without props.

4. Stand in front of the class bearing your name and the type of shop which you have.
   e.g. A. D. Rees, Cigᵱdd.
   Also display a list of what you sell. Customers will call to 'do business' in each shop.

5. Queue. Pretend that you are queuing either in the market (yn y *f*archnad) or outside the cinema (tu allan i'r sinema). Enact the scene.

129

17.	**M﬜nd i'r Cyngerdd.**	**17.**	**Going to the concert.**

Huw: Beth s﬜ yn neuadd y dre heno, Nest?

Huw: What's at the town hall tonight, Nest?

Nest: Cyngerdd.

Nest: A concert.

Huw: Pw﬜ s﬜'n ei gynnal e?

Huw: Who is holding (organizing) it?

Nest: Aelodau'r capel.

Nest: The chapel members.

Huw: Pw﬜ s﬜'n canu 'te?

Huw: Who is singing, then?

Nest: Arhoswch funud. Mae poster gen i r﬜wle. O, dacw fe.

Nest: Wait a minute. I've got a poster somewhere. Oh, there it is.

Huw: Yd﬜ e'n dweud pw﬜ s﬜'n arwain?

Huw: Does it say who is conducting?

Nest: Yd﬜. Côr Treorci s﬜'n canu a'r prifathro s﬜'n arwain.

Nest: Yes. Treorchy Choir is singing and the headmaster is conducting.

Huw: Mae'n well i ni f﬜nd 'te.

Huw: We had better go, then.

Nest: Yd﬜. Rydw i'n teimlo'n dda iawn heno.

Nest: Yes. I feel fine tonight.

* ★ ★ ★ ★ ★ ★

Huw: Hei, pw﬜ s﬜ wrth y drws, Nest?

Huw: Hey, who is at the door, Nest?

Nest: Mrs. Thomas s﬜ wrth y drws yma. Noswaith dda, Mrs. Thomas.

Nest: Mrs. Thomas is at this door. Good evening, Mrs. Thomas.

Huw: Mae'r tocynnau genn﬜ch chi, rydw i'n meddwl.

Huw: You've got the tickets, I think.

Nest: Yd﬜n, dyma chi. Ac mae eisiau rhaglen arna i'r tro yma, cofiwch.

Nest: Yes, here you are. And I want a programme this time remember.

Huw: O'r gorau. Brysiwch. Hei! Mae rh﬜wun yn ein seddau ni.

Huw: Very well. Hurry. Hey! There's someone in our seats.

Nest: Esgusodwch fi, os gwelwch chi'n dda. Diolch. Dyma ni.

Nest: Excuse me, please. Thank you. Here we are.

* ★ ★ ★ ★ ★ ★

Huw: Y côr s﬜'n canu gynta. Edrychwch.

Huw: The choir is singing first. Look.

Nest: Pw﬜ s﬜'n dod i mewn nawr?

Nest: Who is coming in now?

Huw: Diar mi. Mrs. Puw! Mae hi'n edrɥch yn *b*oeth yn y *g*ôt ffwr yna.
Nest: Mae hi fel '*Yogi Bear*'.
Huw: Sh! Pwɥ sɥ'n siarad tu ôl i ni?

Nest: Mr. a Mrs. Llo*p*d. Maen nhw'n astudio'r rhaglen a'r hetiau.

Huw: O wel. Mae'r côr ar y llwɥfan. Codwch Nest.
Nest: Beth sɥ'n bod? Tân?
Huw: Nage. Hen *W*lad fy *Nh*adau!

Huw: Dear me. Mrs. Puw! She looks hot in that fur coat.
Nest: Yes. She is like Yogi Bear.
Huw: Sh! Who is (it) talking behind us?
Nest: Mr. and Mrs. Lloyd. They are studying the programme and the hats.
Huw: Oh well. The choir is on the stage. Get up Nest.
Nest: What's the matter? A fire?
Huw: No, Land of my Fathers!

"Mae hen *w*lad fy *nh*adau yn annwɥl i mi;
Gwlad beirdd a *ch*antorion, enwogion o *f*ri.
Ei gwrol *r*yfelwɥr, gwlatgarwɥr tra mad;
Tros *r*yddid collasant eu gwaed.
Gwlad, gwlad, pleidiol wɥf i'm gwlad,
Tra môr yn *f*ur i'r *b*ur hoff *b*au,
O, bydded i'r hen iaith *b*arhau."

(Literal translation):

"The old land of my fathers is dear to me;
Land of poets and singers, famous men of renown.
Its brave warriors, very good patriots, for freedom they lost their blood.
Country, country, I am partial to my country.
While the sea is a wall to the pure, beloved country, oh may the old language continue".

PATTERN PRACTICE

1.

Pwɥ sɥ	yma?
	yna?
	acw?
	wrth yr organ?
	tu allan?
	tu *f*ewn?
	yn y castell?
	gyda Huw nawr?
	ar y *dd*e? (*on the right*?)
	ar y chwith? (*on the left*?)

2.

Pwɥ sɥ'n	canu?
	dawnsio?
	cynnal y cyngerdd?
	arllwɥs y te (*pouring*)?
	gosod y bwrdd? (*laying the table?*)
	gwastraffu bwɥd (*wasting food*)?
	crïo (*crying*)?
	barod?
	dod i'r dosbarth nos?
	deall y set *d*eledu yma?

tywallt

3.

(Nid)		sy'n	
	Fi Fe Hi Ni Chi Nhw	sy'n	nôl y tocynnau cynhyrchu'r ddrama (*producing the play*) eistedd yn y cefn poeni gweithio yn Sir Aberteifi cyrraedd erbyn deg benthyca recordiau Dafydd Iwan darllen y dyddiadur

4.

Pwy sy wedi	
Pwy sy wedi	bod yn sâl? cymryd moddion? paratoi'r rhaglen? cael annwyd? torri'r wyau?

5.

Mae'n well i ni		Ydy
Mae'n well i ni	gychwyn ar unwaith aros am funud (*wait*) ofyn am ganiatâd (*ask for permission*) gerdded i'r farchnad godi cyn bo hir (*before long*) frysio, rydw i'n meddwl drefnu cyfarfod arall (*arrange another meeting*)	Ydy

6.

Mae hi'n		Ydy
Mae hi'n	fore gwlyb dywydd oer brynhawn braf noson arw (*rough*) ddiwrnod hyfryd	Ydy

7.

(Nid)		o	Sir		sy'n	
(Nid)	Dyn Gŵr Gwraig Person Pobl Grŵp Teulu Plant Ffrindiau	o	Sir	Fôn Gaernarfon Ddinbych Fflint Drefaldwyn Feirionnydd Faesyfed Frycheiniog Forgannwg Fynwy Gaerfyrddin Aberteifi Benfro	sy'n	byw yma canu nawr arwain yr eisteddfod adrodd (*reciting*) dod yma heno mynd i'r eglwys chwilio am le (*looking for a place*) ymddangos ar y teledu (*appearing*) trefnu'r cwbl (*paratoi*)

132

Gwynedd.
CLWYD.
Powys
DYFED
GWENT.

> Mae dɥn o Sir *F*ôn yn bɥw yma. (Normal)
> Dɥn o Sir *F*ôn sɥ'n bɥw yma. (Emphatic)

Vocabulary (Geirfa):

caniatâd (*m*) — permission
llwɥfan (*m*) — stage
poster (*m*) — poster
prifathro (*m*) — headmaster
tocɥn (*m*), (-nau) — ticket(s)

côt-ffwr (*f*) — fur coat
het (*f*), (-iau) — hat(s)
neuadd y *dre* (*f*) — town hall
sedd (*f*) — seat

adrodd — to recite
arllwɥs — to pour
arwain — to lead, conduct
crïo — to cry
cynhyrchu — to produce

cynta, yn *g*ynta — first
esgusodwch *f* i — excuse me
fel — like
garw, yn *a*rw — rough
gosod — to lay (the table)
gwastraffu — to waste
Hen *W*lad fy *N*hadau — Land of my
                                    Fathers
recordiau — records
sefɥll — to stand
trefnu — to arrange
tu allan — outside
tu mewn, *f*ewn— inside
y chwith — the left
y *dd*e — the right
ymddangos — to appear

Grammar (Gramadeg):

1. The use of 'sɥ'.

    (a) 'sɥ' is used in an affirmative sentence of inverted order when the subject comes before the predicate:

    > Y côr sɥ'n canu
    > It is the choir which is singing.

    (b) 'sɥ' in affirmative interrogative sentences and clauses introduced by 'Pwɥ?' and 'Beth?', provided

    (i)   that the complement of the verb is not a definite noun

    (ii) that 'Pwɥ?' and 'Beth?' are in the Nominative and not the Accusative case or pronoun

    > Pwɥ sɥ'n canu?   Beth sɥ ar y llawr?
    > Who is singing?   What's on the floor?

    (c) 'sɥ' in an affirmative relative clause (who, which) (See Volume 2).

2. Note the following example:

    > Pwɥ sɥ'n ei *g*ynnal e?   (cf. Unit 13)
    > Who is holding it?

Object Pronouns with periphrastic tenses.

In English, the object case personal pronouns are placed after the verb e.g. "I see you."
In Welsh, the corresponding possessive pronouns must be placed *before* the verb so that "I see you" is not "Rydw i'n gweld chi" but "Rydw i'n *eich* gweld chi."

Personal Pronouns	*me* i	*him* fe	*her* hi	*us* ni	*you* chi	*them* nhw
Possessive Pronouns	*my* fy (nasal)	*his* ei (soft)	*her* ei (spirant)	*our* ein (none)	*your* eich (none)	*their* eu (none)

The full conjugation is:

Mae e'n	fy *ngh*lywed i (He hears me)
	ei *g*lywed e (He hears him)
	ei *ch*lywed hi (He hears her)
	ein clywed ni (He hears us)
	eich clywed chi (He hears you)
	eu clywed nhw (He hears them)

Exercises (Ymarferion):

1. Answer the following questions using the words in brackets (Atebwch):

   e.g. Pwy sy'n canu? (Dafydd Iwan) Dafydd Iwan sy'n canu.

   1. Pwy sy'n arwain y cyngerdd? (Y Prifathro)
   2. Pwy sy wrth y drws yma? (Mrs. Thomas).
   3. Pwy sy'n canu? (Côr Treorci).
   4. Pwy sy'n sefyll ar y sgwâr? (Mab Mrs. Rhys).
   5. Pwy sy'n canu gynta? (Y Soprano)
   6. Pwy sy'n agor y ffenest? (Merch Mrs. Williams).
   7. Pwy sy'n gwylio'r teledu? (Y plant).
   8. Pwy sy'n gwastraffu bwyd? (Y babi).

2. Give negative answers to the questions in 1.

   e.g. Mrs. Thomas sy wrth y drws. — Nid Mrs. Thomas sy wrth y drws.

3. Complete the following table orally.

   Mae'n *w*ell i ni *f*rysio.   Pwy sy wedi torri'r llestri?
   . . . .*g*erdded.   . . . . .paratoi'r cinio?
   . . . . .ofyn i'r meddyg.   . . . . .cymryd yr arian?
   . . . .*d*refnu cyfarfod arall.   . . . . .bod yn sâl?

Mae'n *f*ore oer.
. . . . . *b*rynhawn sych.
. . . . . *dd*iwrnod ardderchog.
. . . . . noson *a*rw.

Mae dyn o Sir *F*ôn yn byw yno.
. . . . *F*rycheiniog . . . .
. . . . *F*organnwg . . . .
Pobl . . . . *A*berteifi sy'n . . . .
. . . . *G*aerfyrddin . . . .
Grŵp o sir *F*aesyfed sy'n canu **pops**
Cymraeg.
. . . . *F*eirionnydd . . . .
. . . . *B*enfro . . . .

Activities:

1. Make posters advertising different kinds of entertainment. Discuss them in pairs. Let one be a sandwich-board man and the other query him as to what he is selling or advertising.

2. Prepare a number of statements dealing with television or entertainment and use them in a True or False Interlude.

3. Cut out pictures of celebrities and persons who are in the news, and bring them to the session. Possible questions could be "Llun pwy sy gennych chi, Mrs. Williams? ('Whose picture have you got, Mrs. Williams?" Answer: "Llun Mr. W. sy gen i.")

4. Pretend that you are playing a game of chess using the pattern: "Pwy sy nesa? Fi / Chi sy nesa.

5. Negative Nellie v. Positive Pete. One member says "Mae cyngerdd yn y neuadd heno." Another contradicts by saying "Nac oes, does dim cyngerdd yn y neuadd heno."

18. Bore da.

Huw: Nest, chi ſɥ yn y stafell ymolchi?

Nest: Ie, ſi sɥ yma.
Huw: O, popeth yn iawn. Cig moch sɥ i ſrecwast?

Nest: Nage, wɥ wedi ei ſerwi sɥ heddiw.

Huw: O'r gorau. Yn y gegin mae'r sosban?

Nest: Nage, yn y parlwr. Deffrowch, Huw bach. Sh! Dɥn y papur sɥ yna?

Huw: Ie, dɥn y papur, siŵr o ſod. Mae hi'n rhɥ gynnar i'r post eto.

Nest: Wel, peidiwch ag aros ſan yna. Ewch i weld. Mae e'n canu'r gloch o hɥd.

Dyn y
papur: Y Cymro, syr?
Huw: Nage, Y Faner, os gwelwch chi'n dda.

★ ★ ★ ★ ★ ★ ★

Nest: Ydɥ'r post wedi dod erbɥn hɥn?
Huw: O ydɥ. Mae un llythɥr yma.
Nest: Llythɥr i ſi ydɥ e?
Huw: Ie. Llythɥr i chi—â chroeso!

Nest: O da iawn. Llythɥr oddi wrth Modrɥb?
Huw: Nage. Bil y siop ddillad, gwaetha'r modd.

Nest: Dewch ag e i ſi ar unwaith. Mae rhaid i ni ddalu heddiw, Huw.

18. Good morning.

Huw: Is it you (who is) in the bathroom, Nest?
Nest: Yes, it is I who is here.
Huw: Oh, alright. Is it bacon for breakfast?

Nest: No, it is boiled egg today.

Huw: Very well. Is the saucepan in the kitchen?

Nest: No, in the parlour. Wake up Huw dear. Hush. Is that the paper man?

Huw: Yes, the paper man, no doubt. It's too early for the post yet.

Nest: Well, don't stay there. Go and see. He's still ringing the bell.

The paper
man: *Y Cymro*, sir?
Huw: No, *Y Faner*, please.

Nest: Has the post come yet?
Huw: Oh yes. There's one letter here.
Nest: Is it a letter for me?
Huw: Yes. A letter for you—(with a) welcome.

Nest: Oh very good. A letter from Auntie?
Huw: No. The bill from the drapers, worse luck.

Nest: Bring it to me at once. We must pay today, Huw.

★ ★ ★ ★ ★ ★ ★

Huw: Erbʊn naw rydʊch chi'n mʊnd
     i wneud eich gwallt?

Nest: Ie, mae'n debʊg. Ble mae'r
      dyddiadur?

Huw: Dydʊ e ddim yn y stafell yna,
     mae'n siŵr.

Nest: Hei, beth sʊ'n arogli, Huw?

Huw: O diar, yr wʊau sʊ wedi berwi'n
     sʊch.

Nest: Dynion eto!

Huw: Is it at (by) nine that you are
     going to have your hair 'done'?

Nest: Yes, presumably. Where's the
      diary?

Huw: It isn't in that room, it is certain.

Nest: Hey, what's smelling, Huw?

Huw: Oh dear, the eggs have boiled
     dry.

Nest: Men again!

PATTERN PRACTICE

1.

Fe Hi Chi Nhw	sʊ	yna? yma? acw? yn y neuadd?	Ie . . .
	sʊ'n	priodi? ymweld â'r hen wraig? gyrru'r fan? gweiddi fel yna? galw arni i?	Nage, nid . . . (and sentence in same order)

2.

Cig moch Wʊ wedi ei ferwi/ffrïo Marmalêd Tost Tomatos Creision (Flakes)	sʊ i frecwast?	Ie . . . Nage, nid . . .

3.

Y postmon Y siopwr Dʊn y glo (the coal man) Dʊn y llaeth Dʊn y sbwriel (the refuse collector) Dʊn y bara (the bread man) Y cigʊdd (the butcher) Y gweinidog (the minister) Fe/hi/chi/nhw	sʊ wrth y drws?	Ie . . . Nage, nid . . .

137

4.

Chi	sy'n sy wedi	gwneud y bara brith?		Ie . . . Nage, nid . . .

5.

Camera Teisen Chwaraeon Cawl (*broth*) Bagiau Pum swllt Cyngerdd	sy	gan Huw? ganddo fe? gan Nest? ganddi hi? gennyn/gyda ni? gennych chi ganddyn nhw?	Ie . . . Nage, nid . . .

6.

Pacio mae hi? Astudio mae e? Canu maen nhw? Cerdded ydyn ni? Ateb y llythyr ydych chi?	Ie . . . Nage, nid . . .

Tatws newydd Sebon Tocyn deg swllt (*ticket*) Bara ymenyn Llwy	sy eisiau arnoch chi?	Ie . . . Nage, nid . . .

8.

Dyma'r Dyna'r Dacw'r	neuadd? llysiau? *a*rdd?	Ie . . . Nage, nid . . .

9.

Am *dd*im Acw Ar y bwrdd Yn Llandudno Am *dd*au Nos *L*un Wrth y *g*roesffordd	mae e?	Ie . . . Nage, nid . . .

138

Y munud yma Mewn pythefnos (*in a fortnight's time*) Heno Yforɥ Nos yforɥ Wɥthnos nesa Mis nesa *Fl*wɥddɥn nesa Amser cinio Ar ôl brecwast Tua (*around*) t*h*ri o'r *g*loch Cɥn brecwast	mae e'n dod?	Ie . . . Nage, nid . . .

Vocabulary (Geirfa):

bara brith (*m*) — Welsh currant loaf
dɥn y papur (*m*) — the paper man
dɥn y sbwriel (*m*) — the refuse collector
grawnfwɥd (*m*) — cereal
llythɥr (*m*) — letter
wɥ wedi ei *f*erwi (*m*) — a boiled egg

croesffordd (*f*) — crossroads
fan (*f*) — van

arogli — to smell
deffrowch — wake up
gweiddi — to shout
gweld — to see
oddi wrth — from
pythefnos — a fortnight
tua(g) — around, about, approximately
ymweld â — to visit

Grammar (Gramadeg):

1. The use of "Ie" and "Nage" (Yes / No)

    (a) "Ie / Nage" are used in sentences of inverted order (rather than normal). For examples see Pattern Practice Unit 18. In literary Welsh (i.e. emphatic) questions with adverbs of place were written thus:

      Ai acw mae Tomi? Ie / Nage.
      Is it there Tommy is? Yes / No.

      Ai dyma fe? Ie / Nage.
      Is this him? Yes / No.

    The reply to such questions is often "Ie, ie" (yes, yes), "Ie siŵr (yes sure), "Nage (yn) *w*ir (No indeed), "Nage, nage" (No, no).

      Llɥfr Tom ɥw (ydɥ) hwn, on'de? Ie, ie.
      This is Tom's book, isn't it? Yes, yes.

    (b) If questions are introduced by verbal forms e.g. Ydɥch chi . . . ?/ Ydɥ e . . .? Oes . . . ? etc, then "Ie" and "Nage" cannot be used.

(c) In the examples:

Yn y *g*egin mae'r sosban
(The saucepan is in the kitchen)
Canu mae Wil.
(Will is singing).

"Mae ('r)" is used because a verb-noun and an adverbial phrase have been placed before the verb for emphasis.

Exercises (Ymarferion):

1. Change the following emphatic sentences into the interrogative form. e.g.

Statement	**Question**	**Answer**
Yma mae'r sosban (Emphatic)	Yma mae'r sosban?	Ie / Nage.
The saucepan is here.	Is the saucepan here?	Yes / No.

   1. Nest sɥ yma.
   2. Heno mae'r swper.
   3. Marmalêd sɥ i *f*recwast.
   4. Huw sɥ'n galw.
   5. Mewn pythefnos mae'r *b*riodas.
   6. Ar ddɥdd Gŵɥl *D*dewi (*Saint David's Day*) mae'r cyngerdd.
   7. Rhwng dau a *th*ri mae'r gwasanaeth.
   8. Y cigɥdd sɥ wrth y drws.
   9. Wrth y *g*roesffordd mae'r car.
   10. Gwɥlio'r teledu ydɥch chi.

2. Answer the following questions in the affirmative (Atebwch):
      e.g. Canu maen nhw?   Ie, canu maen nhw.

   1. Pacio mae Nest? — Ie, pacio mae Nest.
   2. Sebon sɥ eisiau arnoch chi? — Ie, sebon sɥ eisiau arna i.
   3. Dyma'r cwpanau? — Ie, dyma'r cwpanau.
   4. Drama sɥ ganddɥn nhw nos yforɥ? — Ie, drama sɥ ganddɥn nhw nos yforɥ.
   5. Yn Sir *F*ôn mae Biwmares? — Ie, yn Sir *F*ôn mae Biwmares.
   6. Dɥn y llaeth sɥ wrth y drws? — Ie, dɥn y llaeth sɥ wrth y drws.
   7. Chi sɥ wedi gwneud y *d*eisen yma? — Ie, *f*i sɥ wedi gwneud y *d*eisen yma.
   8. Ar *dd*ɥdd Gŵɥl *D*dewi mae'r gwasanaeth? — Ie, ar *dd*ɥdd Gŵɥl *D*dewi mae'r gwasanaeth.
   9. Nhw sɥ wedi priodi yn Sir Frycheiniog? — Ie, nhw sɥ wedi priodi yn Sir Frycheiniog.
   10. Wɥ wedi ei ffrïo sɥ i *f*recwast? — Ie, wɥ wedi ei ffrïo sɥ i *f*recwast.

3. Give the negative answers to the questions in 2.

140

4. Construct new sentences using 'Ie' and 'Nage, nid . . . ' and say the affirmative and negative sentences immediately after each other.

> e.g. Ie, yn Harlech mae'r *b*riodas.
> Nage, nid yn Harlech mae'r *b*riodas.
>
> Ie, dɥn y sbwriel sɥ yn y cefn.
> Nage, nid dɥn y sbwriel sɥ yn y cefn.

Activities:

1. Evening Echo. Prepare ten statements based on different speech patterns already mastered. Present them individually and let the others 'echo' the sentiment or truth expressed,

> e.g. Mae hi'n noson braf. / Ydɥ.
> Does dim llythɥr yma. / Nac oes.

2. The "Ie / Nage" Interlude. Write down a series of statements and questions which require a "Ie / Nage" response and practise them in pairs.

3. Pretend that you are two chefs preparing the day's menu. Utilise some of the vocabulary in Pattern Practice 2 and elsewhere.

4. Mime. (a) Pwɥ sɥ wrth y drws? (Who is at the door?) Individual members will leave the room, return and impersonate one of the day to day callers. One of the members will ask the question, "Dɥn y llaeth sɥ wrth y drws?" and the other will reply "Ie / Nage".

1.

Cue	Response
Mae e'n *w*ael iawn	Ydɲ
Mae hi'n un o'r *g*loch	Ydɲ
Dydɲ hi *dd*im yn oer	Nac ydɲ
Mae annwɲd arnoch chi	Oes
Mae llawer o *b*obl yma	Oes
Roedd Huw yn y neuadd	Oedd
Blodau?	Os gwelwch chi'n *dd*a/Dim diolch
Maen nhw'n *w*ell	Ydɲn
Beth sɲ . . .?	(Answer) sɲ . . . /Nid (answer) sɲ . . .
Beth sɲ gennɲch chi?	(Answer) sɲ gen i/Nid (answer) sɲ gen i
Pwɲ sɲ . . . ?	(Answer) sɲ . . . /Nid (answer) sɲ . . .
Dɲn y llaeth sɲ wrth y drws?	Ie/Nage, nid dɲn y llaeth . . .
Dyma'r neuadd?	Ie/Nage
Heno mae'r *dd*adl?	Ie/Nage
Chi sɲ'n canu?	Ie, *f*i sɲ'n canu/Nage, nid *f*i sɲ'n canu
John ydɲ'ch enw chi?	Ie, John ydɲ f'enw i

2. Answer (Atebwch):

1. Beth ydɲ 'ch enw chi?

....

(?) ydɲ f'enw i.

2. Ble rydɲch chi'n bɲw?

....

Rydw i'n bɲw yn (?)

3. Sut mae'r tywɲdd?

....

Mae'r tywɲdd yn (braf / oer / *w*lɲb / hyfrɲd).

4. Beth sɲ'n bod arnoch chi?

....

(Annwɲd / pen tost) sɲ arna i.

5. Beth sɲ gennɲch chi yn eich poced/ bag?

....

(Arian / siswrn) sɲ gen i yn fy *mh*oced / *m*ag.

6. Sut rydɲch chi heno?

....

Rydw i'n (*dd*a iawn / *w*ell / go *l*ew / sâl) heno.

7. I ble rydɲch chi'n mɲnd am *d*ro (plural answer)?

....

Rydɲn ni'n mɲnd am *d*ro i'r (parc/ *w*lad/ *d*re / amgueddfa).

8. Oes llawer o *b*obl yma? (Yes)

....

Oes, mae llawer o *b*obl yma.

9. Ydѱn nhw'n *w*ell erbѱn hѱn (by now)?................................
(Yes)

Ydѱn, maen nhw'n *w*ell erbѱn hѱn.

10. Y postmon sѱ'n canu'r *g*loch? (No)

....

Nage, nid y postmon sѱ'n canu'r *g*loch.

11. Ydѱ hi'n oer iawn y bore yma? (No)

....

Nac ydѱ, dydѱ hi *dd*im yn oer iawn y bore yma.

12. Ydѱ e'n *w*ael iawn o hѱd (still)? (Yes)

....

Ydѱ, mae e'n *w*ael iawn o hѱd.

3. Give the appropriate mutations of the words in brackets where necessary.

e.g. Dyma fy (cig) i   ei (cig) e   ei (cig) hi
Dyma fy *ngh*ig i   ei *g*ig e   ei *ch*ig hi

1. Dyna fy (pwdin) i   ei (pwdin) e   ei (pwdin) hi
2. Ble mae fy (arian) i?   ei (arian) e   ei (arian) hi
3. Rydw i'n mѱnd yn fy (car)   ei (car) e   ei (car) hi
4. Rydw i wedi colli fy (côt)   ei (côt) e   ei (côt) hi
5. Mae e yn fy (dyddiadur)   ei (dyddiadur) e   ei (dyddiadur) hi
6. Dewch i *w*eld fy (cegin)   ei (cartre) fe   ei (cartre) hi
7. Mae fy (teulu'n) sâl   ei (teulu) e   ei (teulu) hi

(Note: ei . . . hi; ein . . . ni; eu . . . nhw   all take 'h' before a vowel)

Answers:

1. fy *mh*wdin i   ei *b*wdin e   ei *ph*wdin hi
2. fy arian i   ei arian e   ei harian hi
3. fy *ngh*ar   ei *g*ar e   ei *ch*ar hi
4. fy *ngh*ôt   ei *g*ôt e   ei *ch*ôt hi
5. fy *n*yddiadur   ei *dd*yddiadur e   ei dyddiadur hi
6. fy *ngh*egin i   ei *g*artre fe   ei *ch*artre hi
7. fy *n*heulu   ei *d*eulu e   ei *th*eulu hi

4. Construct sentences containing the following forms:

1. ei *ch*amera.   2. Dyma fe . . .   3. Dydw i *dd*im . . .
4. Dacw . . .   5. Rydѱn ni'n . . .   6. I ble . . . ?
7. Dydѱ'r . . . *dd*im wedi   8. Mae eisiau i chi . . .   9. Beth sѱ gennѱch chi?
10. Chi sѱ'n . . .   11. Astudio . . .   12. Dydѱn ni *dd*im wedi . . .
13. Rydw i am . . .   14. Edrychwch ar . . .   15. Ewch i'r . . .
16. Pwѱ sѱ'n . . . ?   17. Roedd . . .   18. Ie . . .
19. Nage, nid . . .   20. Mae'r . . . gennѱch chi yn . . .

143

5. Stand in front of the class and ask the other members questions about yourself.

1. Beth ydʊ f'enw i? — (?) ydʊ 'ch enw chi.
2. Ble rydw i'n bʊw? — Rydʊch chi'n bʊw yn (?)
3. Ydw i'n *dal / fʊr?* — { Ydʊch, rydʊch chi'n *dal / fʊr.*
   Nac ydʊch, dydʊch chi *dd*im yn *dal / fʊr.*
4. Oes mwstash gen i? — { Oes, mae mwstash gennʊch chi.
   Nac oes, does dim mwstash gennʊch chi.
5. Ydw i'n sefʊll / eistedd? — { Ydʊch, rydʊch chi'n sefʊll / eistedd.
   Nac ydʊch, dydʊch chi *dd*im yn sefʊll / eistedd.
6. Beth ydw i'n ei *w*neud? — Rydʊch chi'n . . . (Mime an action)
7. Beth sʊ'n bod arna i? — (Mime an ailment) (Annwʊd / pen tost) sʊ arnoch chi.
8. Beth sʊ eisiau arna i? — (Draw a picture or suggest by means of a suitable mime) (?) sʊ eisiau arnoch chi.
9. Athro / Clown ydw i? — (Mime) Ie, athro / clown ydʊch chi.
10. Beth sʊ wrth fy ochr i / tu ôl i *f*i? — (?) sʊ wrth eich ochr chi / tu ôl i chi.
11. Oes llawer o *w*allt gen i? (gwallt—hair) — Oes, mae llawer o *w*allt gennʊch chi.
12. Beth ydʊ hwn? — (Show an object) (?) ydʊ hwn(e).
13. I ble rydw i'n mʊnd? — (Mime or supply a sound-effect) e.g. the lowing of a cow—Rydʊch chi'n mʊnd i'r fferm.
14. Mae'r tywʊdd yn . . . — (Mime 'cold / hot' etc.). Mae'r tywʊdd yn oer / *boeth.*

19. Tŷ ar werth.

19. House for sale.

Nest: Ai dyma'r tŷ?

Nest: Is this the house?

Huw: Ie, dyma fe. Gadewch i ni ffynd i mewn.

Huw: Yes, here it is. Let's go in.

Nest: Sawl stafell sŷ yma?

Nest: How many rooms are there here?

Huw: Tair stafell sŷ ar *lawr* a *th*air ar y llofft.

Huw: There are three rooms downstairs and three upstairs.

Nest: Sawl drws sŷ yn y cefn?

Nest: How many doors are there at the back?

Huw: Dau *dd*rws sŷ yma, rydw i'n meddwl.

Huw: There are two doors, I think.

Nest: Oes llawer o *le* yn yr *a*rdd?

Nest: Is there much room in the garden?

Huw: Oes, mae digon o *le* i'r plant i chwarae.

Huw: Yes, there's plenty of room for the children to play.

Nest: Faint ydŷ pris y tŷ?

Nest: How much is (the price of) the house?

Huw: Pum mil o *b*unnau ydŷ'r pris.

Huw: Five thousand pounds is the price.

Nest: Pum mil! O mam annwŷl!

Nest: Five thousand! Oh dear mother!

Huw: Ie, pum mil, Nest.

Huw: Yes, five thousand, Nest.

Nest: Ond does dim nwŷ na gwres canolog yma.

Nest: But there's no gas nor central heating here.

Huw: Nac oes. A dydŷ'r stafelloedd *dd*im yn *f*awr iawn.

Huw: No, there isn't. And the rooms aren't very big.

Nest: O, mae e'n rhŷ *dd*rud, Huw.

Nest: Oh, it's too dear, Huw.

Huw: Ydŷ, ond mae tai *yn dd*rud yn yr ardal yma.

Huw: Yes, but houses *are* dear in this area.

*   *   *   *   *   *   *

Nest: Sawl tŷ sŷ yn y strŷd?

Nest: How many houses are there in the street?

Huw: Tuag ugain, siŵr o *f*od.

Huw: About twenty, (I should think).

Nest: Faint maen nhw wedi ei *d*alu am y tŷ drws nesa.

Nest: How much did they pay for the house next door?

Huw: Maen nhw wedi talu pedair mil am hwnnw.

Huw: They paid four thousand for that.

145

Nest: Ydy'r tŷ yma'n *w*erth pum mil, Huw?

Nest: Is this house worth five thousand, Huw?

Huw: Mae'n amheus iawn gen i.

Huw: I'm very doubtful.

Nest: Wel, sawl mil sy gennych chi yn y banc ar hyn o bryd?

Nest: Well, how (many thousands) much have you in the bank at the moment? (at this point of time?)

Huw: Dwy fil sy gyda ni nawr.

Huw: We have two thousand now.

Nest: O, anghofiwch am y tŷ yma, Huw. Rydyn ni'n rhy *d*lawd ar y *f*oment.

Nest, Oh, forget about this house, Huw. We are too poor at the moment.

PATTERN PRACTICE

1.

Sawl	stafell *w*ely lle-tân gwresogydd cwpwrdd plwg	sy yn y tŷ?

2.

Dau/dwy Tri/tair Pedwar/pedair	Mae dau *f*achgen gen i ac mae dwy *f*erch gan Mair Mae tri brawd gen i ac mae tair chwaer gan Ann Mae pedwar mab gen i ac mae pedair merch gan Gwen

3.

Mae	digon gormod tipyn ychydig	o *le*	yn	yr	*a*rdd Aelwyd awyren amgueddfa (*museum*)
				y	cwch (*boat*) gwesty cefn Noson *Lawen* stryd maes parcio
			ar	y	sgwâr ffordd fferm

146

4.

		gôt fawr?
Bath Faint ydɥ pris	y	ffrog? siwt? trowsus? tei? crɥs?
	yr	offer garddio? ŵɥdd (goose)?

5.

Dwɥ bunt ydɥ pris y crɥs?   Ie/Nage
Deg punt ydɥ pris y gôt?   Ie/Nage

6.

Un mil Dwɥ fil Tair mil Pedair mil Pum mil Deng mil (£10,000)	o bunnau

7.

		ysgafn
Ydɥ(?) Mae	e'n rhɥ	drwm hwɥr ddrud gysurus

8.

	dau o'r gloch
Tua	chwech o'r gloch chwarter wedi deuddeg thri o'r gloch y bore phump o'r gloch
Tuag	ugain munud wedi naw

9.

		llestri
Anghofiwch am	y	llythɥr gwaith bil gêm
	yr	arian

Vocabulary (Geirfa):

cwch (m) — boat
dau (m), dwy (f) — two
gwerth (m) — value
gwres canolog (m) — central heating
lle-tân (m) — fireplace
maes parcio (m) — parking ground
nwɥ (m) — gas
plwg (m) — plug
tri (m), tair (f) — three

gŵɥdd, yr ŵɥdd (f) — goose
mil (f) — thousand

punt (f) — a pound (£)

amheus — doubtful
annwɥl — dear, beloved
buan, yn fuan — soon
cant (can) — a hundred
deng mil — ten thousand
dwɥ fil o bunnoedd — two thousand
pounds (£s)
offer garddio — gardening tools
ugain — twenty

147

Grammar (Gramadeg):

1. "Sawl"? (How much?) is used with a singular noun:

   e.g. Sawl stafell sɹ yma?
   How many room(s) are there here?

2. "Faint?" (How many?) is followed by 'o' and a mutated PLURAL noun:

   e.g. Faint o *d*ai sɹ yn y strɹd?
   How many houses are there in the street?

3. "Faint?" (How much?) is also used with singular nouns (+ soft mutation):

   e.g. Faint o *l*o sɹ gyda ni?
   How much coal have we?

4. The conjunction "a" (and) and the word "tua" (around, about) both take the aspirate (spirant) mutation of C, P, T, (CH, PH, TH):

   e.g. swllt a *th*air   tua *ph*ump o'r gloch
   one shilling and threepence   around five o'clock
   "tua" becomes "tuag" before a vowel:

   Tuag ugain munud wedi dau.
   About twenty minutes past two.

5. Note the form "dau *f*achgen" (not "dau *f*echgɹn").

Exercises (Ymarferion):

1. Answer the following questions using the numbers in brackets (Atebwch):
   1. Sawl stafell sɹ yn y tɹ̂? (5)
   2. Sawl bachgen sɹ ganddɹn nhw? (3)
   3. Sawl cwpan sɹ ar y bwrdd ar y *f*oment? (4)
   4. Sawl gwresogɹdd sɹ yn y parlwr? (1)
   5. Sawl merch sɹ'n canu yn y grŵp pop? (4)
   6. Sawl merch sɹ yn y dosbarth? (10)
   7. Sawl llɹfr sɹ eisiau arnoch chi? (7)
   8. Faint o arian sɹ gennɹch chi? (£2,000)
   9. Faint ydɹ pris y tei? (10/-)
   10. Faint ydɹ pris y siwt yna yn y ffenest? (£10)

2. Challenge the following statements by giving the form which is opposite in meaning to that which is in brackets.

   e.g. Mae e'n gyrru'n rhɹ (gyflɹm).   Mae e'n gyrru'n rhɹ araf.

   1. Mae dɹn y llaeth yn dod yn rhɹ (*g*ynnar)   ....(hwɹr, *dd*iweddar)
   2. Rydw i'n rhɹ (*f*ɹr)   ....(dal)

148

3. Maen nhw'n rhɥ (*drwm*) i Nest. ....(ysgafn)
4. Rydɥn ni'n rhɥ (*fach*). ....(*fawr*)
5. (Mae) pedwar yn y cyfarfod. (Does dim.........)
6. (Deg punt) ydɥ pris y gôt fawr. (Nid deg punt..........)
7. (Mae) pedair mil o *b*obl yn y gêm. (Does dim..........)
8. (Mae'r) tɥ̂ newɥdd ar *w*erth. (Dydɥ'r........*dd*im........)
9. (Mae hi'n) cael dwɥ fil o *b*unnau'r flwɥddɥn. (Dydɥ hi *dd*im yn.........)

3. Translate (Cyfieithwch):

1. How many cupboards are there here? ....
   Sawl cwpwrdd sɥ yma?
2. How many plugs are there in the room? Seven. ....
   Sawl plwg sɥ yn y stafell? Saith.
3. I'm arriving around two o'clock. ....
   Rydw i'n cyrraedd tua dau o'r *g*loch.
4. Forget about the work. ....
   Anghofiwch am y gwaith.
5. There's quite a bit of room in the car park. ....
   Mae tipɥn o *l*e yn y maes parcio.
6. Is he comfortable? ....
   Ydɥ e'n *g*ysurus?
7. I have two boys and two girls. ....
   Mae dau *f*achgen a dwɥ *f*erch gen i.
8. Are the garden tools in the garden? ....
   Ydɥ'r offer garddio yn yr *a*rdd?
9. Who is paying for the central heating? ....
   Pwɥ sɥ'n talu am y gwres canolog?
10. Are you the one who is in doubt? ....
    Chi sɥ'n amheus?

Activities:

1. The Bran Tub. Place a number of objects in a bag and let members pick out a particular object. Then ask questions concerning the objects.
   e.g. Sawl . . . sɥ gennɥch chi?

2. Encircled. Write a series of figures (numbers) on the blackboard. Select two teams. Number them off. Call on one from each team in turn to draw a circle around a particular figure.
   e.g. dwɥ fil.

3. Pretend that you are either selling your house through an agent and you are telling him how much you think it is worth, or that you are the actual auctioneer on the day of sale.

149

4. Pretend that you have received a formal letter from your bank manager inviting you to go and see him regarding your ever-increasing overdraft.

5. Draw a plan of your house (or dream house!) with a pencil or Gem-Marker and describe it to other members of the group.

6. (a) Perform different actions in different ways. e.g. yn gyflɥm / araf / drist / hapus / dwp / swnllɥd / and let the others decide in what manner you are performing e.g. Sut rydw i'n gwneud?
   (b) Let all the members perform in a particular manner in quick time according to the tutor's instructions.

20. Yn y Siop Deganau.

Nest: Beth ydɥ hwn, os gwelwch chi'n *dda*?

Siopwr: Llɥfr darllen.

Nest: A beth ydɥ hwnna?

Siopwr: Llɥfr peintio ydɥ hwnna.

Nest: Ydɥ hwn yn llɥfr diddorol?

Siopwr: O ydɥ! Llɥfr lluniau ydɥ e.

Nest: Faint ydɥ e?

Siopwr: Tri a chwech.

20. In the Toy Shop.

Nest: What is this, please?

Shopkeeper: A reading book.

Nest: And what is that?

Shopkeeper: That is a painting book.

Nest: Is this an interesting book?

Shopkeeper: Oh yes! It is a picture book.

Nest: How much is it?

Shopkeeper: Three and six.

* * * * * * *

Nest: Beth ydɥ honna 'te?

Siopwr: Gêm ydɥ honna.

Nest: Ydɥ hi'n *dd*rud?

Siopwr: Nac ydɥ. Mae hi'n rhad iawn.

Nest: P'un ydɥ'r gêm *o*rau—hon neu honna?

Siopwr: O, honna ydɥ'r gêm *o*rau, ond mae'r rheina'n *dda* hefɥd.

Nest: What is that, then?

Shopkeeper: That is a game.

Nest: Is it expensive?

Shopkeeper: No, it is very cheap.

Nest: Which is the best game— this one or that?

Shopkeeper: Oh, that is the best game, but those are good too.

* * * * * * *

Nest: Esgusodwch *f*i. Pwy ydɥ'r dɥn acw?

Siopwr: Mr. Davies ydɥ hwnna. *Fe* ydɥ'r perchennog.

Nest: Fe sɥ'n bɥw yn Llanddewi?

Siopwr: Ie, dyna chi.

Nest: O! *f*e ydɥ e!

Nest: Excuse me. Who is **that** man?

Shopkeeper: That is Mr. Davies. **He is** the owner.

Nest: Is he the man who lives in Llanddewi?

Shopkeeper: Yes, (there you are) that's it.

Nest: Oh, it *is* he! (he is **the one**).

* * * * * * *

Nest: Faint ydɥ'r cwbl nawr te?

Nest: How much is all **that now** then?

151

Siopwr:	Punt ydɥ'r gêm a'r llyfrau.	Shopkeeper:	The game and the books are a pound.
Nest:	O'r gorau. Faint o'r gloch ydɥ hi nawr?	Nest:	Very well, What's the time now?
Siopwr:	Canol dɥdd.	Shopkeeper:	Mid-day.
Nest:	Mae'n well i ʃi ʃɥnd adre.	Nest:	I had better go home.
Siopwr:	Da boch chi a llawer o ddiolch.	Shopkeeper:	Cheerio now and many thanks.

PATTERN PRACTICE

1.

Beth ydɥ	hwn?	Castell Llythɥr Crɥs Huw	ydɥ	hwn
	hon?	Gêm Potêl-ddŵr-poeth		hon
	'r rhain?	Esgidiau Nest Tabledi • Lluniau'r briodas		'r rhain
	'r rheina?	Llestri te Chwaraeon		'r rheina

2.

| Beth ydɥ | 'thirst'
'society'
'rooms' | yn Gymraeg? | 'Syched' ydɥ 'thirst'
'Cymdeithas' ydɥ 'society'
'Stafelloedd' ydɥ 'rooms' | yn Gymraeg |

3.

| Beth ydɥ | hwnna? | Papur sgrifennu
Cig
Halen | ydɥ | hwnna |
| | honna? | Rhaglen yr Eisteddfod
Cath drws nesa | | honna |

4.

| Llɥfr | glas
sgrifennu
darllen
lluniau | ydɥ e? | Ie | Nage |

152

5.

| Pwy ydy'r dyn yna? |

Y cigydd	
Y groser	ydy'r dyn yna
Y deintydd	
Dyn y sbwriel	

6.

| Faint ydy'r bil? |

5/-	Coron (Pum swllt)	
7/6	Saith a chwech	
8/3	Wyth a *th*air	ydy'r bil
4/9	Pedwar a naw	
£3	Tair punt	
1/6	Deunaw (Swllt a chwech)	

7.

	oer	
Mae hi'n	braf	Ydy/Nac ydy
	*dd*rud	
	*w*ell	

8.

Fi		gorau (*best*)
		bachgen anlwcus
	ydy'r	athro
		*f*erch *o*rau
Chi		perchennog

9.

Pwy ydy'ch	tad	chi?
	mam	
	brawd	
	athro	

10.

Dyddiadur			hwn?
Darlun			
Cwpan			
Plentyn			
Crib	pwy	ydy	hon?
Record			
Côt			
Gardd			
Cyllyll			'r rhain?
Llestri			

Dyddiadur Huw		hwn
Crib Nest	ydy	hon
Plant Huw a Nest		'r rhain (*these*)
		'r rheiny (*those*)

153

11.

Sut *dd*iwrnod ydɥ hi?		
Mae hi'n *dd*iwrnod	cymylog
	heulog (*sunny*)
	niwlog (*misty*)

12.

Athro	ydh	Dafɥdd	(noun or pronoun)
Record		hon	
Dau swllt	sɥ	gen i	(any other part of speech)
Nest		'n ffonio	
Huw		yn yr *a*rdd	

Vocabulary (Geirfa):

bil (*m*) — bill
deintɥdd (*m*) — dentist
groser (*m*) — grocer
hwn (*m*) — this
hwnna (*m*) — that
llɥfr darllen (*m*) — reading book
llɥfr lluniau (*m*) — picture book
llɥfr peintio (*m*) — painting book
perchennog (*m*) — owner

gêm (*f*) — game

hon (*f*) — this
honna (*f*) — that

diddorol — interesting
ffonio — to telephone
heulog — sunny
niwlog — misty
p'un (from 'pa un') — which one
rhain — these
rheina — those (near)
rheinɥ — those (aforementioned)

Grammar (Gramadeg):

The use of 'ydɥ'.

1. When the subject is placed first and the complement is:
    - (i) a definite noun.
    - (ii) a definite adjective.
    - (iii) a pronoun.
    - e.g. (i) John ydɥ'r meddɥg.
        John is the doctor (definite noun).

154

(ii) John ydʯ'r cryfa.
John is the strongest (definite adjective).
(iii) Huw ydʯ hwn.
This is Huw (a pronoun).

2. Note the pronoun subject:

Chi ydʯ'r dʯn.
You are the man.

3. In the following examples, the complement is emphasised:

(i) Araf ydʯ Huw (adjective).
(ii) Athro ydʯ Gwilʯm (noun).
(iii) Hon ydʯ Mair (pronoun).

4. In sentences of normal word order, 'ydʯ' is used for 'mae' when **negative or** interrogative, but only when the subject is *definite*.

Ydʯ John / e yn y siop? Ydʯ / Nac ydʯ.
(Is John in the shop? Yes / No).

Ydʯ'r llʯfr ar *goll*? Ydʯ / Nac ydʯ.
(Is the book missing? Yes / No).

Dydʯ e *dd*im yma heddiw.
(He isn't here today).

5. If we wish to emphasise *where* something occurs (e.g. yn y car) or *when* (e.g. am *dd*eg o'r *g*loch) or the *action* accomplished by the subject (e.g. gweithio), the verb used is 'mae'. If on the other hand, we wish to say that the subject is someone (e.g. Mr. Jones ydʯ e) or something (e.g. Athro ydʯ e), then use 'ydʯ' if the object is definite (but 'sʯ' if the object is indefinite) e.g. John sʯ'n *by*sgotwr. (It is John who is a fisherman).

6. The use of 'hwn' (this)—masculine
'hon' (this)—feminine
'hʯn' (these)—plural

These are demonstrative pronouns.
"Hwn, hon" must be used (instead of 'yma') in sentences such as:
Beth ydʯ hwn (hon)?
(What is this?)

7. Hʯn / hynnʯ.

Rydw i'n deall hynnʯ   Mae hʯn yn *w*ir
(I understand that)   (This is true)

Hʯn (this), hynnʯ (that) are used when abstract, i.e. when referring to some **fact** or circumstance.

155

8. When a noun is qualified by an adjective, they must *both* come between Y and
    HWN, HON.

    > e.g. y *w*lad *f*ach hon.
    >   (this little country)

    "Yma" is used after a noun.

    > e.g. Y llyfrau yma, os gwelwch chi'n *dd*a.
    >   (These books, if you please)

    ("Yma, yna, acw" are further contracted to 'ma, 'na, 'cw(N.W.), 'co(S.W.)).

9. Beth ydɥ hwnna / honna?   (What's that?)

    > "Rhain" (these) is generally used on its own.
    > "Rheina" (those)—in sight.
    > "Rheinɥ" (those)—out of sight.

    > e.g. Rhain, Miss Thomas (These, Miss Thomas).
    >   Gaf i'r rheina? (May I have those?)
    >   Faint ydɥ'r rheinɥ? (How much are those?) (aforementioned)

10. Y gêm *o*rau. (the superlative form of the adjective 'da' (good)—"the best game".
    Comparison of adjectives are dealt with in full in Units 23 and 24.

Exercises (Ymarferion):

1. Answer the following questions using the words in brackets. (Atebwch):
    > e.g. Beth ydɥ hwn? (Sebon) / Sebon ydɥ hwn.

    1. Beth ydɥ'r rhain?   (Lluniau'r *b*riodas).
    2. Beth ydɥ hon? (Potel-*dd*ŵr-poeth).
    3. Beth ydɥ hwnna? (Papur sgrifennu).
    4. Beth ydɥ honna? (Cath drws nesa).
    5. Beth ydɥ'r rheina? (Cyllɥll a ffɥrc).
    6. Beth sɥ yn hwnna? (Arian).
    7. Pwɥ ydɥ hwn? (Y deintɥdd).
    8. Faint ydɥ'r rhain? (£1).
    9. Pwɥ ydɥ'r gorau? (Fe).
    10. Pwɥ ydɥ'ch tad chi? (Mr. Huws).
    11. Dyddiadur pwɥ ydɥ hwn? (Huw).
    12. Beth ydɥ Dafɥdd? (Athro).

2. Give negative answers to the questions in 1.

3. The "Yes—No" interlude!!

    > e.g. Teacher : Dau swllt sɥ gennɥch chi?
    >   Group A: Ie, dau swllt sɥ gen i.
    >   Group B: Nage, nid dau swllt sɥ gen i.

1. Nest sŷ'n ffonio?
2. Huw sŷ yn y garej?
3. Diwrnod gwlŷb ydŷ hi?
4. Crib Nest ydŷ hon?
5. Saith a chwech ydŷ'r bil?
6. Nofel ydŷ hi?
7. Y groser sŷ yna?
8. 'Society' ydŷ 'cymdeithas' yn Saesneg?
9. Rhaglen yr Eisteddfod ydŷ honna?
10. Esgidiau brown Nest ydŷ'r rhain?

Activities:

1. Prepare a series of pictures on paper or cardboard and use them to drill the use of "Beth ydŷ hwn/ hon/ hwnna/ honna/ rhain/ rheina?"

2. Shop! Prepare a shop scene based on the patterns and vocabulary of Unit 20 plus the following patterns:

    Gaf i'ch helpu chi? (May I help you?)
    Oes . . . gennŷch chi?
    Mae eisiau . . . arna i
    Rhowch . . . i fi, os gwelwch chi'n dda.
    Ydŷ hŷnna'n iawn? (Is that right?)
    Mae'n ddrwg gen i.
    Does dim . . . gen i.

3. Lost Property. It is the annual Lost Property Sale at the local Constabulary Headquarters. Enact the scene. (See Pattern Practice 10).

4. The new boy is being trained for his employment in Y Siop Gymraeg (*The Welsh Shop*). Prepare an imaginary dialogue between him and his co-assistant.

5. Beth ydŷ e? Begin drawing an object and let the others guess what it's going to be.

21. Mṇnd i'r Dre.

Nest: Brysiwch, Huw. Mae rhaid i fi ſṇnd i'r llythyrdṇ.

Huw: O'r gorau. Mae rhaid i fi brynu petrol hefṇd.

Nest: Cofiwch nawr. Mae rhaid i ni gael bara.

Huw: Fe ſṇdd rhaid i fi barcio o ſlaen yr eglwṇs 'te.

Nest: Bṇdd, ac fe ſṇdd rhaid i chi gael arian o'r banc.

Huw: Bṇdd, yn ⱳir.

Nest: Mae llawer o bobl o ſlaen yr eglwṇs.

Huw: Fe ſṇdd rhaid iddṇn nhw symud.

Nest: Mae rhaid bod damwain yma.

Huw: Efallai'n ⱳir.

Nest: O! rydw i'n cofio nawr. Bethan sṇ'n priodi.

Huw: Wrth gwrs. Mae rhaid i ni symud y car, fellṇ.

Plismon: Oes, mae rhaid i chi symud, mae arna i ofn.

Huw: Oes rhaid i fi ſṇnd i'r maes parcio?

Plismon: Nac oes, does dim rhaid. Mae lle tu ôl i'r adeilad yna.

Huw: Ond fe ſṇdd rhaid i fi symud o ſewn hanner awr.

Plismon: Fe ſṇdd rhaid i chi symud o ſewn ugain munud, syr, neu . . .

Nest: O, mae'n ⱳell i chi ſṇnd i'r maes parcio nawr.

Huw: O'r gorau. Am y tro!

21. Going to Town.

Nest: Hurry, Huw. I must go to the post-office.

Huw: Very well. I must buy petrol too.

Nest: Remember now. We must have bread.

Huw: I shall have to park in front of the church, then.

Nest: Yes and you will have to get money from the bank.

Huw: Yes, indeed.

Nest: There are many people in front of the church.

Huw: They will have to move.

Nest: There must be an accident here.

Huw: Perhaps, indeed.

Nest: Oh, I remember now. Bethan is getting married.

Huw: Of course. We must move the car, then.

Policeman: Yes, you must move, I am afraid.

Huw: Must I go to the parking ground?

Policeman: No, you don't have to. There is space behind that building.

Huw: But I shall have to move within half an hour.

Policeman: You will have to move within twenty minutes, sir, or else . . .

Nest: Oh, it's better for you to go to the parking ground now.

Huw: Very well. (For) just this once.

PATTERN PRACTICE

1.

Mae rhaid	i ʃi i Huw iddo fe i Nest iddi hi i ni i chi iddɥn nhw i Huw a Nest	ʃɥnd i'r	siop *g*ig siop *b*apurau eglwɥs capel llythyrdɥ car adeilad acw maes parcio gwestɥ gwaith ʃan acw
		*a*lw'r meddɥg ar unwaith	

2.

Mae rhaid i ʃi/chi	*b*rynu	petrol i'r car olew ffrwɥthau llysiau ffresh menyn yn y *w*lad dillad cloc anrheg (*present*) papur glo

3.

Mae rhaid i ni *g*ael	stampiau ffrwɥthau petrol arian wɥau newid	o'r	llythyrdɥ siop ffrwɥthau garej banc fferm tɥ̂

4.

Mae rhaid bod	damwain priodas (*wedding*) cyfarfod dosbarth heol te siwgr tebot	yma

5.

Mae'n *w*ell i chi ʃɥnd i'r	llyfrgell ysbytɥ *o*rsaf *a*rdd adeilad yma chwith

159

6.

Fe ƒɥdd rhaid i ƒi	barcio aros (*stop*) *dd*isgwɥl	o ƒlaen wrth	yr	orsaf eglwɥs
		tu ôl i'r		tai (*houses*) lori *l*aeth (*milk lorry*) rheilffordd (*railway*) ƒynwent (*cemetery*)
		ar y *dd*e		

7.

| Fe ƒɥdd rhaid i chi symud o ƒewn | pum munud (5 minutes)
deng munud (10 minutes)
chwarter awr ($\frac{1}{4}$ of an hour)
ugain munud (20 minutes)
pum munud ar hugain (25 minutes)
hanner awr ($\frac{1}{2}$ an hour)
awr (hour)
dwɥ awr (two hours) |

Vocabulary (Geirfa):

adeilad (*m*) — building
anrheg (*m*) — present
llythyrdɥ (*m*) — post office

dillad — clothes
tai — houses
aros — to stop, stay
efallai — perhaps (hwɥrach in N.W.)
parcio — to park
symud — to move

damwain (*f*) — accident
dwɥ awr (*f*) — two hours
fferm (*f*) — farm
lori *l*aeth (*f*) — milk lorry
mynwent, y ƒynwent (*f*) — cemetery
priodas, y *b*riodas (*f*) — wedding
rheilffordd (*f*) — railway
tyrfa, y *d*yrfa (*f*) — crowd

Grammar (Gramadeg):

Note the form of the 3rd Singular Future tense of the verb 'to be' ('bod').

Bɥdd, fe ƒɥdd Huw yn y gwaith yforɥ.
(Yes, Huw will be at work tomorrow).

Present tense: Mae rhaid . . .
Future tense: Fe ƒɥdd rhaid . . .

160

Exercises (Ymarferion):

1. Translate (Cyfieithwch):

1. I must go to the parking ground.

....
Mae rhaid i *fi ʃ*ynd i'r maes parcio.

2. Huw must call the doctor.

....
Mae rhaid i Huw *a*lw'r meddɥg.

3. She must move the car at once.

....
Mae rhaid iddi hi symud y car ar unwaith.

4. We must have money from the bank today.

....
Mae rhaid i ni *g*ael arian o'r banc heddiw.

5. He will have to pack the bags tomorrow.

....
Fe *ʃ*ydd rhaid iddo fe *b*acio'r bagiau yforɥ.

6. You will have to buy petrol and oil.

....
Fe *ʃ*ydd rhaid i chi *b*rynu petrol ac olew.

7. I shall have to wait in front of the church.

....
Fe *ʃ*ydd rhaid i *ʃ*i aros o *ʃ*laen yr eglwɥs.

8. We will have to get eggs from the farm.

....
Fe *ʃ*ydd rhaid i ni *g*ael wɥau o'r fferm.

9. There must be an accident on the railway.

....
Mae rhaid bod damwain ar y rheilffordd.

10. They had better go to the left.

....
Mae'n *w*ell iddɥn nhw *ʃ*ynd i'r chwith.

2. Turn into the Negative (Trowch i'r negyddol):

    e.g. Mae rhaid i *ʃ*i *b*rynu anrheg iddo fe.
          Does dim rhaid i *ʃ*i *b*rynu anrheg iddo fe.

1. Mae rhaid i Nest *ʃ*ynd i'r capel heno.

....
Does dim rhaid i Nest *ʃ*ynd i'r capel heno.

2. Mae rhaid i *ʃ*i *b*rynu cloc i mam ar ei *ph*en-blwɥdd.

....
Does dim rhaid i *ʃ*i *b*rynu cloc i mam ar ei *ph*en-blwɥdd.

3. Mae rhaid bod deg yn y dosbarth.

....
Does dim rhaid bod deg yn y dosbarth.

4. Mae rhaid i ni *g*ael newid.

....
Does dim rhaid i ni *g*ael newid.

5. Mae hi'n *b*rɥd i ni *g*ychwɥn.

....
Dydɥ hi *dd*im yn *b*rɥd i ni *g*ychwɥn.

6. Mae eisiau stampiau arna i.

....
Does dim eisiau stampiau arna i.

161

Activities:

1. Members move freely around the room conversing in Welsh. The tutor rings a bell or claps his hands and says "Mae rhaid i chi alw'r meddʊg" or similar actions based on material already learnt. Members will perform the action and say "Mae rhaid i ʃi alw'r meddʊg". Suggest further possibilities. (See Unit 12 etc.).

2. Shopping list. One member says "Mae rhaid i ʃi brynu siwgr". The next says "Mae rhaid i ʃi brynu siwgr a chaws." Each consecutive member will add a new item to the list.

3. Chain Practice. "A" calls out a sentence. e.g. "Fe ʃʊdd rhaid i ʃi ʃʊnd i'r llythyrdʊ". "B" calls the word 'neuadd' and "C" says "Fe ʃʊdd rhaid i ʃi ʃʊnd i'r neuadd". "D" may call the word 'ni', whereupon "E" will say "Fe ʃʊdd rhaid i ni ʃʊnd i'r neuadd." Do not vary more than one element at a time. "F" might say "I beth?" (What for?) and "G" might answer "I brynu tocʊn".

4. Game. Divide the room into four 'shops' using a corner for each. The Leader will call "Mae rhaid i chi ʃʊnd i siop y cigʊdd." Whereupon all members will rush to the corner allotted to 'siop y cigʊdd'. The last to arrive finds that the shop is shut and he is therefore eliminated. All members will say the sentence every time they rush to accomplish their last-minute shopping.

5. Prepare a 'situation' based on one of the following topics:

   (a) Yn y llythyrdʊ
   (b) Prynu petrol
   (c) Y briodas

22. Mpnd i'r Ddawns.

Nest: Mae eisiau i chi newid eich crɥs, Huw.

Huw: Newid fy *nghrɥs*? O, nac oes!

Nest: Oes yn *wir*, Huw. Mae eisiau i chi newid eich crɥs a'ch hosanau.

Huw: Does dim rhaid i *fi wisgo* hosanau du gobeithio.

Nest: Oes, wrth *gwrs*. Mae rhaid i chi *wisgo* hosanau du gyda siwt *ddu*.

Huw: Dydw i *ddim* yn *gyfarwɥdd* â gwisgo fel pengwin.

Nest: Dydɥch chi *ddim* yn *gyfarwɥdd* â glanhau'ch esgidiau chwaith. Cymerwch y brwsh yma ar unwaith.

    ★   ★   ★   ★   ★   ★   ★

Nest: Mae hi'n *well* i chi siafio hefɥd.

Huw: Siafio?

Nest: Ie, siafio.

Huw: Mae hi'n *well* i *fi* beidio â siafio heno. Mae annwɥd trwm arna i.

Nest: Peidio â siafio'n *wir*! Fe *ddylech* chi siafio *ddwɥwaith* y dɥdd, nos a bore.

Huw: Fe *fɥdd* rhaid i *chi godi'n gɥnt* yn y bore 'te.

Nest: A chi. Rydɥch chi'n gwastraffu gormod o amser, '*machgen* i.

    ★   ★   ★   ★   ★   ★   ★

Nest: O! dyna chi. Rydɥch chi wedi siafio. Mae hi'n *well* i ni gychwɥn.

22. Going to the dance.

Nest: You want to change your shirt, Huw.

Huw: Change my shirt? Oh, no!

Nest: Yes indeed Huw. You need to change your shirt and socks.

Huw: I don't have to wear black stockings I hope.

Nest: Yes, of course. You have to wear black stockings with a black suit.

Huw: I'm not used to dressing like a penguin.

Nest: You aren't used to cleaning your shoes either. Take this brush at once.

    ★   ★   ★   ★   ★   ★   ★

Nest: You had better shave as well.

Huw: Shave?

Nest: Yes, shave.

Huw: I had better not shave tonight. I have a heavy cold.

Nest: Not shave indeed! You should shave twice a day, night and morning.

Huw: *You* will have to get up earlier in the morning, then.

Nest: And you. You waste too much time, my boy.

    ★   ★   ★   ★   ★   ★   ★

Nest: Oh, there you are. You have shaved. We had better start.

| Huw: | Ydɥ, mae hi'n hen brɥd i ni fɥnd. Rydw i am *a*lw gyda Dic ar y ffordd. | Huw: | Yes, it's high time for us to go. I want to call with Dick on the way. |

★   ★   ★   ★   ★   ★   ★

Nest:	A! dyma ni.	Nest:	Ah! here we are.
Huw:	Gaf i'r *dd*awns gynta, Nest?	Huw:	May I have the first dance, Nest?
Nest:	Cewch â *ch*roeso. Waltz!	Nest:	You may certainly (with welcome). A Waltz!
Huw:	Ie. Ardderchog!	Nest:	Yes. Excellent!

PATTERN PRACTICE

1.

Mae Does dim	eisiau i chi	newid eich crɥs archebu (*order*) 'Y Cymro' siarad â nhw, Huw ffonio cɥn deg ateb y llythɥr *o*fɥn i'r gweinidog (*minister*) siafio ar ôl swper

2.

Mae Does dim Oes (?)	rhaid i chi	godi'n gɥnt egluro i ni (*explain*) esgusodi Huw (*excuse*) *w*eiddi'n uwch (*shout louder*) dwɥmo'r/gynhesu'r dŵr fɥnd i'r swɥddfa

3.

Rydw i'n Dydw i *dd*im yn	*g*yfarwɥdd â	gwaith caled (anodd) nhw hi gyrru'r car 'r ffordd yma 'r gân (*song*) 'r gwaith *ch*oginio (*cooking*) *ph*eintio

164

4.

		anfon y parsel y prynhawn yma
Mae hi'n *w*ell i	chi	*g*ychwyn cyn bo hir
	*ƒ*i	*dd*efnyddio'r ffôn
	ni	*b*rynu petrol
		*o*lchi'r llawr
		*b*arcio ar ochr y stryd
		symud
		*b*eidio â bwyta gormod
		*b*eidio â mynd i'r Eisteddfod
		*g*adw ymwelwyr

5.

Mae hi'n *b*ryd i ni	*dd*ysgu Rwsieg (*Russian*)
	*d*alu'r bil
	ateb ar unwaith
	awgrymu (*suggest*) hynny
	*g*lirio'r llestri
	*g*yrraedd
	*dd*effro (*dd*ihuno)

6.

		ffrïo cig moch
Rydw i		*g*erdded
		*g*odi'n gynt yfory
	am	*d*refnu noson *g*offi
Rydyn ni		ragor o sebon
		*g*ynhyrchu (*produce*) drama
		*g*ynnal cyngerdd mis nesa
		*ƒ*ynd i'r eglwys

7.

						bwyta grawnfwyd
Beth mae Nest	yn	ei *w*neud ?		Mae hi	'n	cribo'i gwallt
	wedi				wedi	mynd i'r gwely
						gwnïo (*sewing*)
						gwau (*knitting*)
						smwddio (*ironing*)
						paratoi brecwast
						sychu'r llestri (*wiping*)

165

Vocabulary (Geirfa):

parsel (*m*) — parcel
pengwin (*m*) — penguin

cân, y gân (*f*) — song
dawns, y ddawns (*f*) — dance
eglwʃs (*f*) — church
hosan (*f*), (-au) — stocking(s)
siwt (*f*) — suit

anfon — to send
archebu — to order
ateb — to answer
awgrymu — to suggest
cewch — you may
coginio — to cook
cyfarwʃdd, yn gyfarwʃdd — used to
cʃnt, yn gʃnt — earlier
deffro (dihuno) — to wake up

disgwʃl — to await, expect
dwʃwaith — twice
egluro — to explain
esgusodi — to excuse
fe ddylech chi — you should
gaf i? — may I have
glanhau — to clean
gwau — to knit
gwnïo — to sew
mae hi'n brʃd — it's time
na chewch — you may not
peintio — to paint
rydw i am alw — I want to call
siafio, siafo (S.W.) — to shave
smwddio — to iron
twʃmo (cynhesu) — to warm up
uwch — higher, louder
wrth gwrs — of course

Grammar (Gramadeg):

1. Note the following idioms:

   (a) Oes eisiau petrol?
       Is there any need for petrol?

   (b) Oes rhaid i chi fʃnd?
       Must you go?

   (c) Mae hi'n well i chi aros yma.
       It's better for you to stay here.

   (d) Mae hi'n well cael dosbarth bach.
       It's better to have a small class.

   (e) Mae rhaid i fi frysio.
       I must hurry.

   (f) Mae hi'n brʃd i ni orffen.
       It's time for us to finish.

   (g) Rydw i am ddod gyda chi.
       I want to come with you.

   (h) Mae hi'n well i chi beidio.
       It's better for you not to.

   (i) Fe ddylech chi siafio.
       You should shave.

2. Peidiwch â (don't) is followed by the aspirate of C P T. "Â" becomes "AG" before a vowel.
       e.g.   peidiwch ag anghofio
              don't forget.

3. Learn.

Gaf i (*May I have?*)	Cewch (*you may*) Na chewch (*you may not*)

Exercises (Ymarferion):

1. Complete the following tables:

   (a) Mae eisiau i ni fʃnd i'r swɲddfa
   . . . .*wrando ar y newyddion
   . . . . .siarad â Gwɲn
   . . . . *fi ddysgu Almaeneg
   . . . .*baratoi swper
   Does dim eisiau iddo fe ddod â'r car
   . . . .*frysio o gwbl
   . . . .*fenthyca'r llɲfr
   . . . . .ddisgwɲl am y bws

   (b) Mae rhaid iddɲn nhw *beintio'r stafell ymolchi
   . . . .*lanhau'r tŷ
   . . . . .aros *gartre am y tro
   . . . .*fwɲta'r cwbl
   Mae hi'n *well i *fi beidio â bwɲta gormod
   .mɲnd i'r ffair
   .ag yfed gwin
   Rydw i am ddod gyda chi
   . . . .*beintio'r stafell welɲ
   . . . .*wnïo ar ôl cinio
   . . . . .newid fy *nghrɲs

2. Answer in the affirmative (Atebwch):

   1. Oes eisiau i *fi newid fy hosanau?
   . . . .
   Oes, mae eisiau i chi newid eich hosanau.

   2. Oes rhaid i chi fɲw yn Sir Faesyfed?
   . . . .
   Oes, mae rhaid i *fi fɲw yn Sir Faesyfed.

   3. Ydɲ hi'n *well i *fi *beidio â *phoeni?
   . . . .
   Ydɲ, mae hi'n *well i chi beidio â *phoeni.

   4. Oes eisiau newid coron arno fe?
   . . . .
   Oes, mae eisiau newid coron arno fe.

   5. Oes eisiau i ni ddeall y ddrama?
   . . . .
   Oes, mae eisiau i chi *ddeall y ddrama.

   6. Ydɲ hi'n brɲd i ni bacio'r bagiau?
   . . . .
   Ydɲ, mae hi'n brɲd i chi bacio'r bagiau.

   7. Ydɲch chi'n awgrymu hynnɲ?
   . . . .
   Ydw, rydw i'n awgrymu hynnɲ.

   8. Ydɲn nhw'n cynhyrchu drama mis nesa?
   . . . .
   Ydɲn, maen nhw'n cynhyrchu drama mis nesa.

167

Activities:

1. Pretend that you are at a dance. Operate in pairs and invite your partner to dance using the speech-pattern "Gaf i'r *dd*awns nesa, os gwelwch chi'n *dd*a? (May I have the next dance, please?) Soft music would be an asset! The invitation to dance would probably elicit an affirmative answer (Cewch) but a request for a kiss, (Ga i *g*usan?) might well meet with a rebuff and an emphatic 'Na *ch*ewch!!!!'

2. At Your Request. Mrs. X wants Mr. X to change his clothes before he does some gardening. She tells him "Mae eisiau i chi newid eich esgidiau" and he then mimes the action and either says a benign "O'r gorau cariad" or openly revolts!

3. Unlucky dip. Write a number of commands on pieces of paper and place them in a bag. (They may deal with daily chores!) The recipient will then moaningly and grudgingly have to perform the act and say what he is doing. Alternatively, he might perform the act and let the others in the group guess what he is doing.

4. Government and Opposition. Two teams representing the Government and Opposition. The Government will make positive statements and the Opposition will vehemently deny them (or vice versa!).

6. Prepare a dialogue based on a motorist's brush with the law on account of a parking problem.

23. Prynwch "Sgleino".

Siopwr: Dyma *b*owdwr da! Credwch chi neu *b*eidio, madam, dyma'r powdwr gorau erb*y*n h*y*n.

Nest: Mae SGLAIN yn *w*ell nag e.

Siopwr: O nac yd*y*, madam. Dyd*y* SGLAIN *dd*im hanner cystal â SGLEINO.

Nest: Mae SGLAIN yn *dd*a iawn. Rydw i'n *g*yfarw*y*dd â SGLAIN nawr, beth bynnag.

Siopwr: Mae SGLEINO'n glanhau'r baw mw*y*a—a hynn*y*'n gyfl*y*m.

Nest: Ond mae eisiau mw*y* o *b*owdwr.

Siopwr: O nac oes, does dim eisiau hanner cymaint o SGLEINO.

Nest: Mae rhaid cael pec*y*n mawr bob tro, meddai Mrs. Jones drws nesa.

Siopwr: Na, na, pec*y*n bach o SGLEINO *b*ob amser. A heblaw hynn*y*, mae'r pris yn llai.

      ★   ★   ★   ★

Nest: *W*n i *dd*im *w*ir.

Siopwr: Dewch. Cymerwch un pec*y*n.

Nest: O'r gorau. Un pec*y*n bach—oherw*y*dd dyd*y*'r pris *dd*im cyn lleied â SGLAIN.

Siopwr: Madam—y gwaith lleia am y pris lleia.

23. Buy "Sgleino".

Shopkeeper: Here's good powder! You believe it or not, madam, here is the best powder by now.

Nest: SGLAIN is better than it.

Shopkeeper: Oh! no madam. SGLAIN isn't half as good as SGLEINO.

Nest: SGLAIN is very good. I'm used to SGLAIN now, anyway.

Shopkeeper: SGLEINO cleans the biggest dirt—and quickly at that.

Nest: But there's need for more powder.

Shopkeeper: Oh no, there's no need for half as much of SGLEINO.

Nest: One must have a large packet every time, says Mrs. Jones next door.

Shopkeeper: No, no, a small packet of SGLEINO always. And apart from that, the price is less.

      ★   ★   ★

Nest: I don't know indeed.

Shopkeeper: Come on. Take one packet.

Nest: Very well. One small packet because the price is not as cheap (little) as SGLAIN.

Shopkeeper: Madam—the least work for the least cost.

      ★   ★   ★   ★   ★   ★   ★

Nest:	Huw, mae'r powdwr yma'n *w*aeth na SGLAIN.	Nest:	Huw, this powder is worse than SGLAIN.
Huw:	O, dyd*ŋ* e *dd*im yn *dd*rwg, chwarae teg.	Huw:	Oh, it isn't bad, fair play.
Nest:	*Dd*im yn *dd*rwg? Dyma'r powdwr gwaetha eto.	Nest:	Not bad? This is the worst powder yet.
Huw:	Nawr nawr Nest! Dyd*ŋ* e *dd*im cynddrwg â hynn*ŋ*.	Huw:	Now now Nest! It isn't as bad as that.
Nest:	Mae e'n rhatach na SGLAIN wrth *g*wrs.	Nest:	It's cheaper than SGLAIN of course.
Huw:	Ond nid y powdwr rhata yd*ŋ*'r gorau *b*ob amser.	Huw:	But it isn't the cheapest powder which is the best always.
Nest:	Nage, ryd*ŋ*ch chi'n iawn, Huw.	Nest:	No, you are right, Huw.
Huw:	Wel, peidiwch â *ph*rynu powdwr mor rhad y tro nesa. Mae'n *w*ell i chi *d*alu mw*ŋ*.	Huw:	Well, don't you buy such cheap powder next time. It's better for you to pay more.
Nest:	Dyd*ŋ* hwn yn *dd*a i *dd*im, beth bynnag. SGLEINO *w*ir! Wfft i SGLEINO!	Nest:	This is good for nothing, anyway. SGLEINO indeed! Blow SGLEINO!

PATTERN PRACTICE

Grammar (Gramadeg):

1.

		*dd*a iawn
		*dd*rud iawn
		rhad iawn
Mae'r powdwr	yn	*dd*efnyddiol (*useful*) iawn
		golchi'n *l*ân (*washes cleanly*)
		glanhau yn llw*ŋ*r (*cleans completely*)

2. Mae Surf yn *dd*a
Mae Surf cystal ag Omo
Mae Daz yn *w*ell na SGLAIN
SGLEINO yd*ŋ*'r powdwr gorau

3. Mae'r te yma'n *dd*rwg
Mae'r te acw cynddrwg
Mae te Mrs. Jones yn *w*aeth
Te Mrs. Puw yd*ŋ*'r gwaetha

4.   Rydw i'n *f*awr
     Mae John cymaint â *f* ı
     Mae Wil yn *f*wɲ na *f* i
     Gwɲn ydɲ'r mwɲa. Gwen ydɲ'r *f*wɲa

5.   Mae'r siwt yma'n *dd*rud
     Mae'r siwt acw mor *dd*rud â'r siwt yma
     Mae'r ffrog yn *dd*rutach
     Y dillad yma ydɲ'r druta (m)
     Y *g*ôt acw ydɲ'r *dd*ruta (f)

6.

Adjective	Positive	Equative	Comparative	Superlative
cynnar	yn *g*ynnar	mor *g*ynnar â(ag)	yn *g*ynharach na(g)	cynhara(f)
hwɲr	yn hwɲr	mor hwɲr â(ag)	yn hwɲrach na(g)	hwɲra(f)
ysgafn	yn ysgafn	mor ysgafn â(ag)	yn ysgafnach na(g)	ysgafna(f)
drud	yn *dd*rud	mor *dd*rud â(ag)	yn *dd*rutach na(g)	druta(f)
rhad	yn rhad	mor rhad â(ag)	yn rhatach na(g)	rhata(f)

7.

da	yn *dd*a	cystal â(ag)	yn *w*ell na(g)	gorau (*o*rau)
drwg	yn *dd*rwg	cynddrwg â(ag)	yn *w*aeth na(g)	gwaetha(f) (*w*aetha(f)
mawr	yn *f*awr	cymaint â(ag)	yn *f*wɲ na(g)	mwɲa(f) (*f*wɲa(f)
bach	yn *f*ach	cyn lleied â(ag) (mor *f*ach)	yn llai na(g)	lleia(f)

8.

Hwn / Hon / Hwnna / Honna / Rhain / Rheinɲ / Rheina	sɲ	*o*rau / *w*aetha(f)	gen i

9.

P'un	ydɲ'r	gorau / gwaetha / druta	hwn neu hwnna?
	sɲ	*o*rau / *f*wɲa / *w*aetha	

171

10.

Dyma'r	bachgen	cynta (*first*)	yn y dosbarth
		twpa (*dullest*)	
		hyna (*oldest*)	
		ienga (ifanca) (*youngest*)	
		lleia (*smallest*)	
	tro (*time*)	ola/diwetha (*last*)	

Vocabulary (Geirfa):

pecyn (*m*) — packet
powdwr (*m*) — powder

bach, yn *f*ach — small
beth bynnag — anyway, whatever
cymaint — as much as
cynddrwg — as bad as
cynta — first
cystal — as good as
da, yn *dd*a — good
defnyddiol, yn *dd*efnyddiol — useful
diwetha — last
drud, yn *dd*rud — expensive
drutach — more expensive
druta — most expensive
drwg, yn *dd*rwg — bad
gorau — best

glân, yn *l*ân — clean
gwaeth, yn *w*aeth — worse
gwaetha — worst
gwell, yn *w*ell — better
heblaw — apart from
hyna — eldest, oldest
ieua — youngest
llai — smaller
lleia — smallest
llwyr, yn llwyr — completely
mawr, yn *f*awr — big
mor *dd*rud — so expensive
mor rhad — so cheap
mwy, yn *f*wy na — more than
mwya — biggest
twpa — dullest

Exercises (Ymarferion):

1. Construct sentences of the same pattern using the following nouns **and the** appropriate form of the adjective in brackets.
   e.g. Powdwr (da) — Mae'r powdwr yn *dd*a.

   1. Postmon (cynnar)
   2. Sebon (defnyddiol)
   3. Tocyn (drud)
   4. Hosanau (mawr)
   5. Cynhyrchu (da)
   6. Tywydd (drwg)
   7. Ffordd (gwell)

2. Give the adjective forms which are opposite to these in brackets.

    e.g.   Dydʝ e *ddi*m (cynddrwg) heno. / Dydʝ e *ddi*m (cystal) heno.

   1. Mae hi'n (*w*ell) erbʝn hʝn.
   2. Fe ydʝ'r (gwaetha) yn y dosbar ina.
   3. Dyma'r siop (*dd*ruta) yn y *d*re.
   4. Mae hwn yn (*d*rymach) na hwnna.
   5. Mae dʝn y llaeth yn (hwʝrach) n: arfer heddiw.
   6. Mae'r plant (gorau) gan Mrs. Jonc:.
   7. Mae rhaid i ni *b*rynu'r rhai (rhata).
   8. Y llestri (gwaetha) sʝ ar y bwrdd i *f*recwast.
   9. Mae'n *w*ell iddʝn nhw *b*rynu'r dillad (ysgafna).
  10. Ydʝ Sgleino yn (*w*ell) na Sglain?
  11. Dydw i *dd*im yn hoffi llwʝfan mor (*f*awr).
  12. Fe ydʝ'r (ieua)? Ie.
  13. Dyma'r tro (cynta) i ni *w*eld Gwen.
  14. Hwnna ydʝ'r (lleia), rydw i'n meddwl.

Activities:

1. Prepare an advertising 'blurb' for a particular product and try to sell it from a soap box in a fairground in a Welsh-speaking area. Remember that there will be opposition from others so master your message!

2. (a) Arrange a television debate on a particular product which you have brought to class.

    (b) Conduct interviews in twos on the efficacy of well-known pills or powders.

3. Draw pictures of four cars or frocks etc. and discuss their relative merit in groups.

4. Pavement or blackboard artists. Work in threes. Two draw pictures and the third joins in the argument as to the respective merits of the artistic attempts of the two artists.

5. The Hat or Shoe Shop. Ladies try hats and gents try shoes and revise comparison of adjectives into the bargain.

24. Dringo.

Huw: Mae e'n *w*aith anodd, Nest.

Nest: Dydɥch chi *dd*im mor ifanc ag oeddech chi.

Huw: Nac ydw, mae'n amlwg. Rydw i'n mɥnd yn llai ystwɥth wrth *f*ɥnd yn hɥn.

Nest: Mae hi'n haws dringo'r clogwɥn acw.

Huw: Ydɥ, ond mae hi'n nes y ffordd yma.

Nest: Fe *f*yddwn ni'n iawn cyhɥd ag y byddwn ni'n *o*falus.

Huw: Mae'r llɥn yn ymddangos yn llai ac yn llai.

Nest: Ydɥ. Dyma'r darn mwɥa anodd o *dd*igon.

Huw: Ie. Rydɥn ni wedi dringo'r rhan hawsa, mae arna i ofn.

Nest: O, does dim cymaint â hynnɥ o *b*ellter i'r copa nawr.

Huw: Na, rydɥn ni'n dod yn nes *b*ob munud.

Nest: O, doedd e *dd*im cynddrwg ag oeddwn i wedi *f*eddwl.

Huw: Nac oedd. Y darn ola yna oedd y gwaetha.

24. Climbing.

Huw: It's difficult work, Nest.

Nest: You're not as young as you were.

Huw: No, it's obvious. I am **getting** less agile as I go older.

Nest: It's easier to climb **that cliff.**

Huw: Yes, but it's nearer **this way.**

Nest: We'll be alright as long as **we are** careful.

Huw: The lake appears smaller **and** smaller.

Nest: Yes. This is the most **difficult part** by far.

Huw: Yes. We have climbed the easiest part, I'm afraid.

Nest: Oh, there isn't all that **much** distance to the summit **now.**

Huw: No, we're getting nearer every minute.

Nest: Oh, it wasn't as bad as I had thought.

Huw: No, that last piece **was the worst.**

★ ★ ★ ★ ★ ★ ★

Nest: Beth ydɥ uchder y mynɥdd yma, Huw?

Huw: O mae e tua dwɥ *f*il o *d*roedfeddi, siŵr o *f*od.

Nest: Ydɥ e cymaint â hynnɥ?

Nest: What's the height of this mountain, Huw?

Huw: Oh, it's about two thousand feet, sure to be.

Nest: Is it as much as that?

Huw:	O, ydɥ. Dewch i'r ochr yma. Mae gwell golygfa oddi yma.	Huw:	Oh, yes. Come to this side. There's a better view from here.
Nest:	Ond ydɥ hi'n ardderchog? Mae'r dŵr mor llɥfn a'r lle mor llonɥdd.	Nest:	Isn't it excellent? The water is so smooth and the place is so still.
Huw:	Does dim cynifer o bobl yma ag oeddwn i wedi dybio.	Huw:	There aren't as many people here as I had thought.
Nest:	Nac oes. Does dim llawer yn gallu dringo ganol wɥthnos fel yma.	Nest:	No, there aren't many people able to climb mid-week like this.
Huw:	Mae rhaid i ni beidio ag aros yn hwɥ. Mae hi'n dechrau oeri.	Huw:	We must not stay any longer. It's beginning to get cold.
Nest:	O'r gorau. Cymerwch chi'r rhaff. A byddwch chi'n ofalus. Does arna i ddim eisiau'ch colli chi eto!	Nest:	Very well. You take the rope. And you be careful. I don't want to lose you yet!

PATTERN PRACTICE

1.

Mae e'n Dydɥ e ddim yn	waith	diddorol diflas anodd pleserus (*pleasurable*) arbennig iawn (*special*)	Ydɥ/ Nac ydɥ

2.

Dydɥ e ddim	mor	grɥf (*strong*) ifanc hen fach anodd agos (*near*) ystwɥth (*agile*)	â Huw
		cystal cynddrwg cymaint	

175

3.

Mae'n ʃwɥ anodd (anos) Mae'n haws	dringo na disgɥn (*descend*) coginio na glanhau	
Mae'r ffordd yma'n	hwɥ (hirach) nes (agɔsach)	na'r llall
Mae'r *b*ont yma'n	is uwch	
Ydɥ hi'n	llai *w*ell *w*aeth	na chi?
Rydw i'n aros	cyhɥd ag y galla i (*as long as I can*)	

4.

Rydw i am *g*ael	esgidiau cryfach car gwell tɥ̂ llai llwɥfan mwɥ cyflog uwch gwɥliau hwɥ ɣ ʃlwɥddɥn nesa gwaith yn nes i'r *d*re **te'n hwɥrach heddiw**

5.

P'un ydɥ'r	ysgafna? tryma? lleia? cryfa? mwɥa? gorau? gwaetha? hyna (*eldest*)? ienga (*ifanca*)? ucha? isa? hwɥa (hira)? nesa (agosa)? hawsa? anhawsa (mwɥa anodd)? ʃargen ʃwɥa	Hwn (hon) ydɥ'r . . . Nid hwn (hon) ydɥ'r . . .

Vocabulary (Geirfa):

clogwyn (*m*) — cliff
copa (*m*) — summit
darn (*m*) — piece
mynydd (*m*) — mountain
pellter (*m*) — distance
uchder (*m*) — height

rhaff (*f*), (-au) — rope(s)
troedfedd (*f*), (-i) — foot, feet (measurement)

anodd — difficult
colli — to lose
cyhyd — as long as

disgyn — to descend
dringo — to climb
eto — yet (also 'again')
gallan nhw — they can
gwresogydd — heater
hir — long
ifanc — young
llyfn — smooth
na(g) — than
pobl — people
tybio — to suppose
wrth — as
ymddangos — to appear
ystwyth — agile, flexible

Grammar (Gramadeg):

1. Comparison of adjectives:

There are four grades in Welsh: Positive, Equative, Comparative and Superlative.

Positive	Equative (as . . . as)	Comparative (. . . than)	Superlative . . . est (most . . .)
da (*good*)	cystal (mor *dd*a)	gwell (yn *w*ell na)	gorau
drwg (*bad*)	cynddrwg (mor *dd*rwg)	gwaeth (yn *w*aeth na)	gwaetha
mawr (*big*)	cymaint (mor *f*awr)	mwy (yn *f*wy na)	mwya
bach (*small*)	mor *f*ach (cyn lleied)	llai (yn llai na)	lleia
hen (*old*)	mor hen â	hŷn (yn hŷn na)	hyna
ifanc (*young*)	mor ifanc â	iau (yn iau na)	ieua
uchel (*high*)	mor uchel â	uwch (yn uwch na)	ucha
isel (*low*)	mor isel â	is (yn is na)	isa
hawdd (*easy*)	mor hawdd â	haws (yn haws na)	hawsa
anodd (*difficult*)	mor anodd â	yn *f*wy anodd na	mwya anodd
agos (*near*)	mor agos â	yn agosach na (yn nes na)	agosa (nesa)
hir (*long*)	mor hir â (cyhyd â)	yn hwy na	hwya

POSITIVE.

'Yn' + soft mutation of C, P, T, G, B, D, M.   e.g. yn *f*ach (small).

EQUATIVE.

'Mor' (as) + soft mutation of adjective (C, P, T, G, B, D, M) + 'â' ('ag' before a vowel.   e.g. mor ifanc â (as young as). Except "cystal, cynddrwg, cymaint, cyhyd".

177

COMPARATIVE.

'Yn' + soft mutation of Comparative form (C, P, T, G, B, D, M) + 'na' ('nag' before a vowel.) e.g. yn *l*anach na / (cleaner than).

SUPERLATIVE.

Dyma'r bachgen gorau.　　　　　Dacw'r *f*erch *o*rau.
Here's the best boy.　　　　　　There's the best girl.
Note the mutated form with the feminine.

Exercises (Ymarferion):

1. Give the forms which are opposite to those in brackets:

    e.g.　Pwɥ ydɥ'r aelod (hyna)? — Pwɥ ydɥ'r aelod ieua?

    1. Rydw i am *f*ɥnd i'r gwelɥ yn (*g*ynharach) y tro nesa.
    2. Ydɥ hi'n (llai) na'i chwaer?
    3. Rydw i wedi cael cyflog (uchel).
    4. Dyma'r amser (gorau) o'r *f*lwɥddɥn.
    5. Dydɥ'r tywɥdd *dd*im (cystal) ers dyddiau.
    6. Mae rhaid i chi *dd*efnyddio offer (rhatach).
    7. Does dim eisiau i chi siarad â'r plant (hyna).

2. Translate (Cyfieithwch):

    1. It is interesting work.

        ....
        Mae e'n *w*aith diddorol.

    2. It isn't very special.

        ....
        Dydɥ e *dd*im yn arbennig iawn.

    3. He isn't as good as Huw.

        ....
        Dydɥ e *dd*im cystal â Huw.

    4. It is more difficult to climb here than there.

        ....
        Mae'n *f*wɥ anodd dringo yma nag acw.

    5. This road is longer than the other one.

        ....
        Mae'r ffordd yma yn hwɥ (hirach) na'r llall.

    6. Is she smaller than you are?

        ....
        Ydɥ hi'n llai na chi?

    7. They are staying at the hotel as long as they can (ag y gallan nhw).

        ....
        Maen nhw'n aros yn y gwestɥ cyhɥd ag y gallan nhw.

    8. I want to get a better heater.

        ....
        Rydw i am *g*ael gwresogɥdd gwell.
        (Mae arna i eisiau (cael) gwresogɥdd gwell.)

178

9. Which one is the easiest? . . . .
   P'un ydp'r hawsa?

10. This fire-place is lower than the other. . . . .
    Mae'r lle-tân yma'n is na'r llall.

Activities:

1. Pretend that you are climbing a steep precipice on Snowdon. Imaginatively strain every limb in the process. Music and sound effects would add atmosphere.

2. Discuss holidays as a group using the adjectives encountered in units 23 and 24.

3. Prepare a dialogue for next session based on one of the following topics:

   (a) Yn yr oriel arlunio (In the Art Gallery).
   (b) Y gêm rygbi (neu'r gêm *b*êl-droed) (The rugby or football match).
   (c) Y ras (The race).

4. Question Time. Set posers for each other by means of pictorial representations (e.g. drawings of four elephants of different sizes and colours) and prepare a set of questions based on them.

5. Suggest by means of mime what kind of work you are undertaking e.g. Mae e'n *w*aith anodd / diflas / pleserus.

6. Class Competition. Arrange a series of competitions:

   (a) The prettiest hat.
   (b) The most agile male.
   (c) The tallest lady.
   (d) The best memory etc.

REVISION UNIT 4

Cue	Response
1. Sawl (+singular noun) +sɥ	(Number) (+singular noun) +sɥ
2. Faint o (+ mutated plural noun) + sɥ	(Number) (+ mutated plural noun) + sɥ
3. Faint ydɥ . . . ?	(Answer) ydɥ . . .
4. Beth ydɥ hwn/hon/hwnna/honna/'rhain/rheina/ rheinɥ?	(Answer) ydɥ hwn/hon/hwnna/honna/ . . . rheinɥ
5. Beth ydɥ "rooms" yn Gymraeg?	"Stafelloedd" ydɥ "rooms" yn Gymraeg.
6. Pwy ydɥ 'ch tad chi?	(John Jones) ydɥ 'nhad i
7. Sut ddiwrnod ydɥ hi?	Mae hi'n ddiwrnod braf/oer/gwlɥb . . .
8. Mae rhaid bod damwain ar y sgwâr	Oes
9. Mae rhaid i fi fɥnd ar unwaith	Oes
10. Does dim rhaid i fi dalu nawr	Nac oes
11. Fe fɥdd rhaid i ni gychwɥn cɥn bo hir	Bɥdd
12. Fɥdd dim rhaid i ni aros yn hir	Na fɥdd
13. Mae'n well i chi beidio	Ydɥ
14. Mae eisiau i chi alw yforɥ	Oes
15. Mae hi'n brɥd i ni gau'r siop, siŵr o fod	Ydɥ
16. Beth mae hi'n ei wneud?	Mae hi'n . . .
17. Beth mae hi wedi ei wneud?	Mae hi wedi . . .
18. Ydɥch chi am ddefnyddio'r ffôn?	Ydw/Nac ydw
19. Gaf i?	Cewch/Na chewch
20. Mae'r powdwr yn dda, ond ydɥ e? (isn't it?)	Ydɥ
21. Dyma'r powdwr gorau (ynte?) (onide?), on te fe? (isn't it?)	Ie
22. Nid dyma'r jeli rhata	Nage
23. P'un ydɥ'r druta, hwn neu hwnna?	Hwn/Hwnna ydɥ'r druta
24. Mae e'n well, ond ydɥ e?	Ydɥ
25. Dydɥ e ddim cystal â hwn	Nac ydɥ

The use of Oes, mae, sɥ, ydɥ.

Oes	
Oes cwrw yma?	Is there beer here?
Oes, mae cwrw yma	Yes, there is beer here
Nac oes, does dim cwrw yma	No, there's no beer here
Mae sŵn yma, ond oes e?	There's a noise here, isn't there?

Mae'(r)	
Sut mae?	How are you? Literally: How is (it)?
Ble mae baw? (dirt) (Indefinite)	Where is there dirt?
Ble mae'r papur? (Definite)	Where is the paper?
Mae jam yn y cwpwrdd	There is jam in the cupboard
Mae'r coffi yn y jwg	The coffee is in the jug
Beth mae e'n ei wneud?	What is he doing?
Darllen mae e (Emphatic) (Denotes action)	He is reading
Yn yr ardd mae Huw (Emphatic denoting location)	Huw is in the garden
Prɥd mae'r rhaglen?	When is the programme?
Heno mae'r rhaglen (Nid heno mae'r rhaglen) (Denotes time in an emphatic sentence)	The programme is tonight (The programme isn't tonight)
Pam mae e'n hwɥr?	Why is he late?
Sɥ	
Beth sɥ yn y sinema?	What's in the cinema?
Ffilm gowboi sɥ yn y sinema	There's a cowboy film in the cinema
Nid ffilm gowboi sɥ yn y sinema	It isn't a cowboy film that's on in the cinema
Pwɥ sɥ'n gyrru'r *Jaguar*? (sɥ + infinitive)	Who is driving the Jaguar?
Huw sɥ'n gyrru/Nid Huw sɥ'n gyrru	It's Huw that's driving/It isn't Huw that's driving
John sɥ'n gapten eleni	John is captain this year
Beth sɥ'n *dd*a at annwɥd? (sɥ + adjective)	What's good for a cold?
Beth sɥ eisiau arno fe?	What does he want?
Beth sɥ'n bod arnoch chi?	What's the matter with you?
Beth sɥ gennɥn (gyda) ni?	What have we (got)?
Pwɥ sɥ wedi bod yn sâl?	Who has been ill?
Dyma'r côr sɥ'n canu yn yr Eisteddfod (sɥ in a relative clause)	Here's the choir which is singing at the Eisteddfod
Ydɥ'(r)	
Ydɥ'r car allan?	Is the car out?
Ydɥ e yn y garej?	Is it in the garage?
Ydɥ, mae e'n dod nawr	Yes, he's coming now
Nac ydɥ, dydɥ e *dd*im gartre ar y foment	No, he isn't at home at the moment
Mae hi'n oer iawn. Ydɥ, mae hi	It's very cold. Yes, it is
Faint ydɥ torth fach?	How much is a small loaf?
Faint ydɥ pris y llyfr peintio?	How much is the price of the painting book?
Beth ydɥ hwn?/hon?	What is this?/that?
Llythɥr ydɥ hwn (Emphatic)	This is a letter
Nid llythɥr ydɥ hwn	This isn't a letter
Pwɥ ydɥ e?	Who is he?
Tom ydɥ e (Emphatic)	It is Tom
Nid Tom ydɥ e	It isn't Tom
Tom ydɥ'r arweinɥdd	Tom is the leader
Deintɥdd ydɥ Glɥn	Glɥn is a dentist
Sut *dd*iwrnod ydɥ hi?	What kind of a day is it?
P'un ydɥ'r gorau?	Which one is the best?

Exercises (Ymarferion):

1. Complete the following sentences with a negative form where the initial verb is affirmative, and with an affirmative form where the initial verb is negative.

    e.g. Mae cath gen i ond..........ci gen i.
          (negative form = does dim)

1. Maen nhw'n bɥw drws nesa ond.........*ddi*m yn hoffi bɥw yno o *g*wbl.
                   (dydɥn nhw)

2. Rydw i'n *ddi*gon gofalus ond......Nest......yn *ddi*gon gofalus, mae'n *dd*rwg gen i *dd*weud. (dydɥ)   (*ddi*m)

3. Rydɥn ni'n gallu gwau ond.............yn gallu gwnïo.
                  (dydɥn ni *ddi*m)

4. Roedd e'n *g*amera ardderchog ond....y llun....yn *dd*a, gwaetha'r modd.
                   (doedd) (*dd*im)

5. Dyma'r cwpanau ond......dyma'r soseri.
          (nid)

6. Mae'r lliain yn newɥdd sbon ond........llestri *ddi*m.
            (dydɥ'r)

7. Tatws sɥ i *g*inio ond......teisen sɥ i *d*e.
         (nid)

8. Mae rhaid i *f*i *w*rando ar y rhaglen ar y *f*oment ond........rhaid i *f*i aros yma wedɥn (*afterwards*).   (does dim)

9. Dɥdd Llun mae'r pwɥllgor yma, ond........dɥdd Llun mae'r gwasanaeth.
             (nid)

10. Does dim neuadd yn yr ardal ond........amgueddfa wrth ochr y maes parcio.
             (mae)

11. Roeddwn i yn yr awyren ond.............*ddi*m yn hapus.
            (doeddwn i)

12. Fe *f*ɥdd rhaid i *f*i *b*arcio o *f*laen yr eglwɥs ond.........rhaid i *f*i gael golau ar y car, gobeithio.   (*f*ɥdd dim)

13. Does dim eisiau i chi ymolchi ond.........eisiau i chi siafio.
             (mae)

14. Mae e'n *w*aith pwɥsig ond.............yn *w*aith pleserus iawn.
            (dydɥ e *dd*im)

15. Roedden nhw wedi prynu tocynnau ond...............yn y cyngerdd wedi'r cwbl.   (doedden nhw *dd*im)

2. Answer creatively, i.e. elaborate rather than give yes / no answers only (Atebwch yn *g*readigol):

   1. Ydw i'n cael dod i'r parti pen-blwɥdd?
   2. Sut mae'r plant gennɥch chi?
   3. Ydɥ'r llestri'n *l*ân?
   4. Oes peiriant golchi (*washing machine*) newɥdd gan eich mam?
   5. Faint o arian oedd gennɥch chi yn y pwrs yna?
   6. Beth sɥ'n bod arnoch chi, *b*lant?

7. Beth sʊ eisiau arnoch chi nawr?
8. Pwʊ sʊ'n gofalu am yr hen ŵr?
9. Oes glo yn Nhonypandʊ?
10. Ydʊch chi am wres canolog?
11. Chi sʊ'n symud ddʊdd Mawrth nesa?
12. Ydʊ e wedi llosgi'r papurau i gʊd?
13. Sut rydʊch chi'n teimlo erbʊn hʊn? (*feeling by now*).
14. Beth ydʊ 'flying' yn Gymraeg?

3. Respond to the following questions and statements.

1. Maen nhw'n hwʊr yn dod. (Ydʊn)
2. Does dim digon o *le* yma. (Nac oes)
3. Gadewch i ni *f*ʊnd i siopa. (O'r gorau)
4. Dydʊch chi *dd*im yn edrʊch yn *dd*a. (Nac ydw)
5. Mae eisiau iddo fe alw *r*ʊw *dd*iwrnod. (Oes)
6. Mae hi'n hen *br*ʊd iddʊn nhw *g*ysgu. (Ydʊ)
7. Dydʊn ni *dd*im wedi talu *f*ʊth (never paid). (Nac ydʊn)
8. Dacw'r tʊ, siŵr o *f*od. (Ie)
9. Ydʊn nhw'n cofio, ys gwn i (I wonder)? (Ydʊn / Nac ydʊn)
10. Mae'r merched yn cyrraedd erbʊn deg. (Ydʊn)
11. Does neb *g*artre. (Nac oes)
12. Mae'r ci gan Mair. (Ydʊ)
13. Byddwch yn *o*falus, *w*ir. O'r gorau / Popeth yn iawn.
14. Dyna *l*estri hardd. Ie, onte fe (onde / ynte? — isn't it?).
15. Heddiw mae'r ffair. Ie, wrth *g*wrs.

4. P'un ydʊ'r . . . ? (Which is the . . . ?) Show two items of any given species and let the class decide which is the "mostest". e.g. P'un ydʊ'r hardda (*b*erta?) (of two females). Answer—Hon ydʊ'r hardda.

1. Two commodities: P'un ydʊ'r rhata?
2. Two eggs: P'un ydʊ'r mwʊa?
3. Two stockings: P'un ydʊ'r hwʊa?
4. Two sums: P'un ydʊ'r hawsa?
5. Two strong men: P'un ydʊ'r cryfa?
6. Two programmes: P'un ydʊ'r *o*rau, y ffilm neu'r gêm?

5. Use the appropriate form of the adjective in brackets:

1. Mae'r newyddion yn (diddorol) na *ch*wis ar y teledu (*f*wʊ diddorol)
2. Mae hi'n (hawdd) dringo Cader Idris nag Eferest. (haws)
3. Y siocled yma ydʊ'r siocled (da) yn y siop. (gorau)
4. Mae Dafʊdd (mawr) â'i chwaer erbʊn hʊn (by now). (cymaint)
5. P'un ydʊ'r ffordd (hir), hon neu honna? (hwʊa)
6. Roedd e'n (da) *dd*oe na heddiw. (*w*ell)

183

25. Lladron.

Huw:	Noswaith *dd*a, Sarjant. Dewch i mewn. Mae'n *dd*ifrifol yma.
Sarjant:	Roedd lladron yma neithiwr.
Huw:	Oedd, gwaetha'r modd. Roedden nhw'n *g*yfarwʋdd â'r lle hefʋd.
Sarjant:	Oeddech chi yn y tʃ?
Huw:	Nac oeddwn.
Sarjant:	Ble roeddech chi?
Huw:	Roeddwn i'n gwʋlio'r *Great Train Robbery* yn y *Plaza*.
Sarjant:	A ble roedd Mrs. Ifans?
Huw:	Doedd hi *dd*im yn y sinema. Roedd hi gyda'i mam.
Sarjant:	Doedd neb o *g*wmpas, fellʋ?
Huw:	Nac oedd, neb.
Sarjant:	Dyna *b*iti.
Huw:	Ie *w*ir.

★ ★ ★ ★ ★ ★ ★

Sarjant:	Dwedwch. Faint o arian oedd gennʋch chi yn y tʃ?
Huw:	Roedd can punt gen i yn fy *nesg*.
Sarjant:	Doedd dim bʋd heblaw hynnʋ.
Huw:	Nac oedd. Dim ond fy llʋfr siec i a newid mân.
Sarjant:	Oedd gemau gan y *w*raig rʋwle?
Huw:	Nac oedd, doedd dim gemau ganddi hi, diolch am hynnʋ.
Sarjant:	Roedd côt-ffwr gan eich gwraig, ond oedd e?

25. Thieves.

Huw:	Good evening, Sergeant. Come in. It's serious here.
Sergeant:	There were thieves here last night.
Huw:	Yes, worse luck. They were familiar with the place too.
Sergeant:	Were you in the house?
Huw:	No, I wasn't.
Sergeant:	Where were you?
Huw:	I was watching The Great Train Robbery in the Plaza.
Sergeant:	And where was Mrs. Evans?
Huw:	She wasn't in the cinema. She was with her mother.
Sergeant:	There wasn't anyone around, then?
Huw:	No, no one.
Sergeant:	There's a pity.
Huw:	Yes indeed.

★ ★ ★ ★ ★ ★ ★

Sergeant:	Say. How much money did you have in the house?
Huw:	I had a hundred pounds in my desk.
Sergeant:	There wasn't anything apart from that.
Huw:	No. Only my cheque book and small change.
Sergeant:	Did the wife have jewels somewhere?
Huw:	No, she didn't have any jewels, thank goodness for that.
Sergeant:	Your wife had a fur coat, didn't she?

Huw:	Oedd. Roedd hi ar y llofft gyda'r dillad eraill.	Huw:	Yes. It was upstairs with the other clothes.
Sarjant:	Pa mor *w*erthfawr oedd hi?	Sergeant:	How valuable was it?
Huw:	Roedd hi yn *w*erth can punt— a gwerth sentimental, wrth *g*wrs.	Huw:	It was worth a hundred pounds and of sentimental value, of course.
Sarjant:	Sh! Mae ôl bysedd ar y *g*ist yma. Mae rhaid i *f*i ffonio'r *o*rsaf ar unwaith . . .	Sergeant:	Sh! There are fingerprints on this chest. I must telephone the station at once . . .

PATTERN PRACTICE

1.

| Roedd | lladron
cwmni
mam
ein ffrindiau ni o Fflint
gwasanaeth Gŵpl *Dd*ewi
dosbarth nos
tyrfa
ci
y teulu'n digwpdd galw
tocynnau | yma | neithiwr |

2.

| Oeddech chi | yn y *f*archnad?
yn *N*olgellau?
yn*g Ngh*aerfyrddin?
ym *M*erthpr?
yn*g Ng*ogledd Cymru?
ym *Mh*ontypridd?
yn *N*honypandp?
ym *M*angor? | Oeddwn, roeddwn i . . .

Nac oeddwn, doeddwn i *dd*im . . . |

3.

	roeddwn i? roedd	Huw?/e? Nest?/hi? Huw a Nest?
Ble		
	roeddech chi? roedden nhw?	

4.

Pwy oedd yno?	Huw Fe Nest Hi Huw a Nest Nhw	oedd yno

5.

Roedd hi yma	ychydig amser yn ôl (*some time ago*) amser cinio ychydig *dd*yddiau'n ôl mewn prŷd (*in time*) y munud yma *dd*ŷdd Gwener diwetha am ychydig o *dd*yddiau am hanner nos (*at midnight*) ʃore *dd*oe neithiwr mewn eiliad (*in a second*)

6.

Oedden nhw'n	amheus? *b*arod? sŷch? *l*ân? ʃawr? ʃach? *d*ew? canu? adrodd? hedfan (*flying*) i America? berwi?		Oedden, roedden nhw'n . . . Nac oedden, doedden nhw *dd*im yn . . .

7.

Beth oedd yno?	Cyngerdd Dadl Eisteddfod Gwres canolog Llŷn	oedd yno

8.

Roedd	Huw e	yma ond doedd	Nest hi	*dd*im yma

9.

> Roedd Nest yn lwcus ond roedd Huw'n anlwcus iawn.
> Roedd Nest o *f*laen y siop ond roedd Huw tu ôl i'r adeilad.
> Roedd hi'n sâl ond roedd y plant yn iach.
> Roedd hi'n braf yn y bore ond roedd hi'n oer iawn erb*y*n y nos.
> Roedd y *b*roblem yn hawdd i Huw ond roedd hi'n anodd iawn i Gw*y*n.

10.

Roedd hi'n	syd*y*n *w*erthfawr *d*yw*y*ll (*dark*) *o*rmod anghywir (*incorrect*) *g*ymylog (*cloudy*) *d*lawd *d*enau	Oedd

11.

Beth oedd yn bod ar Huw?	Roedd	pen tost (cur pen) annw*y*d hiraeth peswch	ar Huw
		gwres poen gwddw tost	gan Huw

12.

Gwau Gorwedd Pacio Gofalu am y teulu Deffro (dihuno) Gwnïo Torri coed	oedd Nest?	Ie . . . Nage, nid . . .

187

Vocabulary (Geirfa):

bɥs (*m*), (-edd) — finger(s)

llɥfr siec (*m*) — cheque book

newid (*m*) — change

ôl (*m*) — remains, trace

eiliad (*f*) — a second (of time)

sefyllfa (*f*) — situation

anghywir — incorrect

cymylog — cloudy

difrifol, yn *dd*ifrifol — serious

gem(au) — gem(s), jewel(s)

gwaetha'r modd — worse luck

hanner nos — midnight

heblaw — apart from

hedfan — to fly

lladron — thieves (from 'lleidr')

mân — small

mewn prɥd — in time

tywɥll, yn *d*ywɥll — dark

unman — anywhere

ychydig amser yn ôl — some time ago

Grammar (Gramadeg):

Oeddech chi yn y siop? Were you in the shop?	Oeddwn, roeddwn i yn y siop. Yes, I was in the shop.
	Nac oeddwn doeddwn i *dd*im yn y siop No, I wasn't in the shop.

Note that a statement containing the Present and Imperfect tense forms "Rydw i . . . Roeddwn i . . ." always begins with the letter "R . . ."

e.g.   Roedd Huw ar y bws.

Rydɥn ni ar *g*oll.

The "R" is omitted in both the question and negative forms.

1.   The Imperfect Tense of 'Bod' (*to be*):

The Imperfect tense (English '*was / were*') is expressed in Welsh in the following manner:

Question	*Affirmative*	*Negative*
Oeddwn i? (Was I?)	Roeddwn i (I was)	Doeddwn i *dd*im (I wasn't)
Oeddet ti?	Roeddet ti	Doeddet ti *dd*im
Oedd e?/hi?	Roedd e/hi	Doedd e/hi *dd*im
Oedden ni?	Roedden ni	Doedden ni *dd*im
Oeddech chi?	Roeddech chi	Doeddech chi *dd*im
Oedden nhw?	Roedden nhw	Doedden nhw *dd*im

2.   The Imperfect of all verbs is formed by adding their Present Participle to the above tenses as in English:

Roeddwn i'n ffonio.   Roedd Huw yn garddio

I was telephoning.   Huw was gardening.

188

3. The Imperfect (*was / were*) is expressed thus:

> Roeddwn i'n ('n' is short for 'yn') golchi'r llestri.
> I was washing the dishes.

The Pluperfect (Past Perfect) (English '*had*') is expressed thus:

> Roeddwn i WEDI golchi'r llestri.
> I had washed the dishes.

4. In an emphatic statement, where 'mae' is used in the Present tense, 'roedd' (was/were) is used in the Imperfect. Where 'ydy' is used in the Present, 'oedd' is used in the Imperfect:

> Mae digon o arian gen i.
> I have plenty of money.
>
> Roedd digon o *le* yno.
> There was plenty of room there.
>
> Mae'n *w*ell gen i'r *w*lad na'r *d*re.
> I prefer the country to the town.
>
> Roedd yn *w*ell gen i *g*anu nag adrodd.
> I preferred singing to reciting.

5. Note that the verb remains in the singular although the subject is plural:

> Roedd y llythyr ar y *dd*esg.
> The letter was on the desk.
>
> Roedd y gemau yn y ffenest.
> The jewels were in the window.

Exercises (Ymarferion):

Answer the following questions in the affirmative (Atebwch):

1. Oedd lladron yn y tŷ?
2. Oedd Huw yn y sinema?
3. Oedd Nest gyda'i mam?
4. Oedd can punt gan Huw yn y *dd*esg?
5. Oedd ei *l*yfr siec e yno?
6. Oedd y lladron yn *g*yfarwydd â'r lle?
7. Oedden nhw'n *g*lyfar?
8. Oedd y dillad ar y llofft?
9. Oeddech chi yn y *Plaza*, Huw?
10. Oeddech chi yn y gwasanaeth Gŵyl *Dd*ewi?

2. Turn the following verb forms into the Present tense (Trowch i'r Presennol):

> e.g. Roedd ôl bysedd ar y coffor / Mae ôl bysedd ar y coffor.

1. Arian mân oedd yn y *dd*esg.

....
Arian man sp yn y *dd*esg.

2. Roedd hi'n sefyllfa (situation) *dd*ifrifol iawn.

....
Mae hi'n sefyllfa *dd*ifrifol iawn.

3. Roedd y *g*ôt-ffwr yn *w*erth canpunt.

....
Mae'r *g*ôt-ffwr yn *w*erth canpunt.

4. Pa mor *w*erthfawr oedd hi?

....
Pa mor *w*erthfawr ydp hi?

5. Canpunt oedd gen i.

....
Canpunt sp gen i.

6. Gwplio'r ffilm oedden nhw.

....
Gwplio'r ffilm maen nhw.

7. Roedden ni yn Nolgellau.

....
Rydpn ni yn Nolgellau.

8. Pwp oedd yn y *f*archnad?

....
Pwp sp yn y *f*archnad?

9. Roedd Huw y*ng* N*gh*aerdpdd ond doedd Nest *dd*im yno.

....
Mae Huw y*ng* N*gh*aerdpdd ond dydp Nest *dd*im yno.

10. Beth oedd yn bod ar y plant? Annwpd oedd arnpn nhw.

....
Beth sp'n bod ar y plant? Annwpd sp arnpn nhw.

Activities:

1. Alibi. Where were you? (Ble roeddech chi?) Work in twos. One is the detective and the other is the suspected one. Then perform the interrogation in public (or record it).

2. I'm a 'Tec. Place a number of objects around the room. Then remove them after allowing the budding detectives to survey the room and ask the members to write down where the various objects were.

3. Over the garden wall. Mrs. Jones is chatting over the garden wall with Mrs. Williams. Mrs. Jones says that she called the previous day but that she couldn't get a reply . . . This will also be an opportunity to revise the nasal mutation with 'members of the family' (e.g. O! roedd fy *m*rawd yma *dd*oe / Roeddwn i gyda fy *n*had yn Nolgellau echdoe.)

4. The Amateur Artists. Draw a number of object. Other members of the group ask "Beth ydp e?" If they cannot say what it is, they will ask "Beth oedd e? / Pwp oedd e?"

5. Imagine that you are in a particular place (e.g. a hot country, a garden, an aeroplane). Mime the location and let the others guess where you were. If they cannot, they will finally ask, "Ble roeddech chi?"

26. Y Trip.

Nest: Fe *f*ydda i'n m*ɲ*nd i Sir *Fô*n
brynhawn d*ɥ*dd Sadwrn nesa.
Huw: Sut byddwch chi'n m*ɲ*nd?
Nest: Fe *f*ydda i'n m*ɲ*nd ar y bws.
Huw: Fe *f*ɥdd trip y gwaith yn m*ɲ*nd
i'r Rh*ɥ*l mewn pythefnos.
Nest: Dewis gwreiddiol iawn! Yd*ɥ*ch
chi'n m*ɲ*nd?
Huw: Ydw, rydw i'n gobeithio.
Nest: Fe *f*ɥdd trip y côr ymhen mis.

Huw: Beth? Trip arall?
Nest: Ie. Fe *f*ɥdd hwnnw'n *d*rip hyfr*ɥ*d.
Fe *f*ɥdd y tyw*ɥ*dd yn *g*yn-
hesach erb*ɥ*n hynn*ɥ*.
Huw: *F*yddwch *chi dd*im yn m*ɲ*nd
gyda'r côr. Dyd*ɥ*ch chi *dd*im
yn perth*ɥ*n i'r côr.
Nest: Fe *f*ydda i wrth fy *m*odd.
Huw: Pr*ɥ*d b*ɥ*dd y trip hwnnw'n cych-
w*ɥ*n?
Nest: Fe *f*ɥdd e'n cychw*ɥ*n yn y bore
bach.
Huw: A *f*yddwch chi *dd*im yn cyrraedd
adre tan yn hw*ɥ*r.
Nest: Na *f*yddwn gobeithio. *F*yddwn
ni *dd*im yn cael trip yn aml
iawn.

26. The trip.

Nest: I shall be going to Anglesey next
Saturday afternoon.
Huw: How will you be going?
Nest: I shall be going on the bus.
Huw: The work's trip will be going to
Rhyl in a fortnight.
Nest: A very original choice! Are *you*
going?
Huw: Yes, I hope so.
Nest: The choir trip will be in a
month's time.

Huw: What? Another trip.
Nest: Yes. That will be a pleasant trip.
The weather will be warmer by
then.
Huw: *You* shan't be going with the
choir. You don't belong to the
choir.
Nest: I shall be delighted.
Huw: When will that trip be starting?

Nest: It will be starting in the early
morning.
Huw: And you won't be arriving home
till late.
Nest: No, I hope not. We don't have a
trip very often.

★ ★ ★ ★ ★ ★ ★

Huw: Ble byddwch chi'n cael tships?
Nest: Fe *f*yddwn ni'n aros yn
*N*olgellau.
Huw: Beth *f*yddwch chi'n ei *w*neud
ar y bws?

Huw: Where will you be having chips?
Nest: We shall be stopping at Dolgelley.

Huw: What will you be doing on the
bus?

Nest:	Roedden ni'n canu a chwerthin llawer llynedd.	Nest:	We were singing and laughing a lot last year.
Huw:	Fe *f*yddwch chi'n cael hwʋl, fellʋ?	Huw:	You will be having fun, then?
Nest:	Byddwn.	Nest:	Yes.
Huw:	Wel, *f*ydda i *dd*im yn cael hwʋl yn bwʋta bara jam *d*rwʋ'r dʋdd, credwch chi *f*i.	Huw:	Well, I shan't be having fun eating bread and jam throughout the day, believe you me.

PATTERN PRACTICE

1.

| *F*yddwch chi'n mʋnd i | Sir *F*organnwg
*L*anelli
*Dd*inbʋch
Iwerddon (*Ireland*) | *f*ore dʋdd Llun?
nos *F*awrth?
*b*rynhawn dʋdd **Sadwrn nesa**?
wʋthnos i *dd*ʋdd Llun? |

2.

| Bydda, fe *f*ydda i'n
Na *f*ydda, *f*ydda i *dd*im yn | mʋnd | am *dd*im (*free of charge*) |
| | | gyda hi/nhw
gydag Alun/e |

3.

| Sut byddwch chi'n
(*How*?) | teithio?
mʋnd?
gwʋbod?
gwneud?
gyrru?
mʋnd am *d*ro?
nabod Huw? |

4.

| *F*ydda i *dd*im yn | gwastraffu llawer
cael tships i *g*inio
cychwʋn tan yr hwʋr
glanhau'r llofft o gwbl
gallu dod bore yforʋ
y cinio wedi'r cwbl
dod allan nos Sadwrn
yr ardal yma eto |

192

5.

Prɥd	byddwch chi'n	glanhau'r stafelloedd? cyrraedd? mɥnd i'r cyfandir? cael sgwrs â Mrs. Davies? trefnu'r ddadl? deffro?

6.

Fe fɥdd	y	llestri eraill yn ddefnyddiol noson goffi cɥlchgrawn gen i *Mini* llwɥd gan Huw gŵr yn y chwarel (*quarry*) llyfrgell ar gau	nos Fercher
		digon o wisgi yno tipɥn o bopeth acw (*a little bit of everything*) dawnsio ar y lawnt (*lawn*)	

7.

Fe fyddwn ni'n	gynnar gysurus iawn well yforɥ rhɥdd ar ôl swper siŵr o ennill

8.

Fɥdd	cawl cig bara brown ffrwɥthau cnau pysgodɥn moron bresɥch	yn y gegin?	Bɥdd, fe fɥdd . . . Na fɥdd, fɥdd dim . . .

9.

Affirmative	Negative
Rydw i'n . . . (Present tense) (*am*) Fe fydda i'n . . . (Future or habitual) (*shall*) Roeddwn i'n . . . (Imperfect tense) (*was*) Roeddwn i wedi . . . (Past Perfect tense) (*had*)	Dydw i ddim yn . . . Fydda i ddim yn . . . Doeddwn i ddim yn . . . Doeddwn i ddim wedi . . .

Geirfa (Vocabulary):

cyfandir (*m*) — continent
dewis (*m*) — choice
hwɥl (*m*) — fun

chwarel (*f*) — quarry
lawnt (*f*) — lawn

Sut? — how?
gwreiddiol — original

perthɥn — to belong
y bore bach — early morning
tan(nes) — until
tships — chips
chwerthin — to laugh
popeth — everything
gwɥbod — to know (a fact)
nabod — to know (a person), recognise
teithio — to travel

Grammar (Gramadeg):

The Future tense of 'bod' (to be) is expressed thus in Welsh:

Question	Affirmative answer	Negative answer
*F*ydda i? (Shall I be . . .?)	Bydda, fe *f*ydda i . . .	Na *f*ydda, fydda i *dd*im
*F*ɥdd e / hi?	Bɥdd, fe *f*ɥdd e / hi	Na *f*ɥdd, *f*ɥdd e / hi *dd*im
*F*yddwn ni?	Byddwn, fe *f*yddwn ni	Na *f*yddwn, fyddwn ni *dd*im
*F*yddwch chi?	Byddwch, fe *f*yddwch chi	Na *f*yddwch, fyddwch chi *dd*im
*F*yddan nhw?	Byddan, fe *f*yddan nhw	Na *f*yddan, *f*yddan nhw *dd*im

The Future tense is also used to express habitual action in the present (instead of "Rydw i'n")

> e.g. Fe *f*ydda i'n mɥnd gyda'r bws *b*ob dɥdd (I go by bus every day)

Exercises (Ymarferion):

1. Fill in the blanks with the appropriate words from Unit 26:

1. Fe *f*ydda i'n mɥnd . . . . brynhawn Sadwrn nesa.   (i Sir Fôn)
2. Fe *f*ydda i'n mɥnd gyda'r . . . .   (bws)
3. Fe *f*ɥdd trip y gwaith yn mɥnd i'r . . . .   (Rhɥl)
4. Fe *f*ɥdd trip y côr mewn . . . .   (mis)
5. Fe *f*ɥdd y trip yn cychwɥn yn y . . . .   (bore bach)
6. Fe *f*yddwn ni'n aros yn . . . .   (Nolgellau)

Answer in the affirmative (Atebwch):

1. *F*yddwch chi'n mɥnd i Iwerddon *dd*ɥdd Sadwrn nesa?

. . . .
Bydda, fe *f*ydda i'n mɥnd i Iwerddon *dd*ɥdd Sadwrn nesa.

2. *F*yddwch chi'n teithio i'r gwaith gyda'r trên?

. . . .
Bydda, fe *f*ydda i'n teithio i'r gwaith gyda'r trên.

3. Fyddwch chi'n canu yn y côr yn yr Eisteddfod?

....
Bydda, fe fydda i'n canu yn y côr yn yr Eisteddfod.

4. Fʮdd y cawl yn y gegin amser cinio?

....
Bʮdd, fe fʮdd y cawl yn y gegin amser cinio.

5. Fʮdd bresʮch gennʮch chi yforʮ?

....
Bʮdd, fe fʮdd bresʮch gen i yforʮ.

6. Fʮdd noson goffi yn 'Cartre' nos Fercher?

....
Bʮdd, fe fʮdd noson goffi yn 'Cartre' nos Fercher.

7. Fyddwch chi'n rhʮdd ar ôl swper?

....
Bydda, fe fydda i'n rhʮdd ar ôl swper.

8. Fyddwch chi'n cael sgwrs â Mrs. Davies weithiau?

....
Bydda, fe fydda i'n cael sgwrs â Mrs. Davies.

9. Fʮdd Huw yn mʮnd â'r ci am dro cʮn brecwast?

....
Bʮdd, fe fʮdd Huw yn mʮnd â'r ci am dro cʮn brecwast.

10. Fyddan nhw'n prynu'r Mini llwʮd?

....
Byddan, fe fyddan nhw'n prynu'r Mini llwʮd.

3. Change into the Future tense:

1. Roedd hi'n anodd iawn i fi.

....
Fe fʮdd hi'n anodd iawn i fi.

2. Rydw i'n aros tan wʮthnos nesa beth bynnag.

....
Fe fydda i'n aros tan wʮthnos nesa beth bynnag.

3. Roedd hi'n ddiwrnod pleserus dros ben.

....
Fe fʮdd hi'n ddiwrnod pleserus dros ben.

4. P'un ydʮ'r hawsa i chi?

....
P'un fʮdd yr hawsa i chi?

5. Mae'r ffordd yma'n hwʮ, siŵr o fod.

....
Fe fʮdd y ffordd yma'n hwʮ, siŵr o fod.

6. Rydw i am gael gwʮliau hwʮ y tro nesa.

....
Fe fydda i am gael gwʮliau hwʮ y tro nesa.

7. Mae rhaid i chi ddefnyddio offer gwell.

....
Fe fʮdd rhaid i chi ddefnyddio offer gwell.

8. Roedd ei ffrindiau hi o Sir Drefaldwʮn yno.

....
Fe fʮdd ei ffrindiau hi o Sir Drefaldwʮn yno.

195

9. Roeddech chi yno mewn prʏd.

Fe *fy*ddwch chi yno mewn prʏd.

10. Roedden nhw'n aros gyda ni am ychydig o *dd*yddiau.

Fe *fy*ddan nhw'n aros gyda ni am ychydig o *dd*yddiau.

Activities:

1. One member says "Fe *fy*dda i'n mʏnd ar fy *ng*wʏliau, ac fe *fy*dda i'n mʏnd â bag gyda *f*i." The next says, "Fe *fy*dda i'n mʏnd ar fy *ng*wʏliau, ac fe *fy*dda i'n mʏnd â bag a *ch*amera gyda *f*i." Subsequent members will add one more item to the list.

2. Fortune-telling. One member is the fortune-teller and the other is the customer. The customer might ask, "Beth *fy*dd yn digwʏdd i *f*i? (What will happen to me?) and the fortune-teller might reply, "Fe *fy*ddwch chi'n ennill llawer o arian . . ."

3. The 'Future' Trio. One asks a question in the Future Tense, the next gives the affirmative answer, and the third gives the negative answer.

4. The Weather Man. Prepare a series of pictures predicting the weather for different parts of the country for the next few days.

5. Oyez, Oyez! Pretend that you are a town crier proclaiming coming events locally or the news reader in a television programme saying what events are to take place in Wales for the following week.

6. You are the new television announcer. Give a preview of the week's viewing. Working in twos, you might be able to give the BBC and ITV-viewers a pretty mixed preview!

7. Household Secret.

   He: Pan *fy*dd y *w*raig yn mʏnd allan, fe *fy*dda i'n . . .
   (When the wife goes out, I . . . .)

   She: Pan *fy*dd y gŵr yn mʏnd allan, fe *fy*dda i'n . . . .
   (When the husband goes out, I . . .)

27. Dillad Newɥdd.

Nest: Roeddwn i'n dweud wrth mam *dd*oe.

Huw: Dweud beth?

Nest: Mae eisiau i chi *g*ael dillad newɥdd.

Huw: Dillad! Dillad! Nac oes *w*ir, Nest.

Nest: Mae hi'n *d*rueni gweld eich siwt chi. Ond does dim ots gennɥch chi.

Huw: Dydɥ hi *dd*im yn *dd*rwg o *g*wbl.

Nest: Mae hi'n *b*rɥd i chi gael siwt *d*ywɥll.

Huw: Mae hon yn *dd*igon da.

Nest: Fe *f*ɥdd hi'n *w*ell i ni *f*ɥnd i'r *d*re heddiw.

Huw: O na, dim heddiw. Does dim brɥs.

Nest: Rydw i am i chi edrɥch yn *l*ân.

Huw: Siŵr iawn!

Nest: Ac mae cyfle i ni siopa tipɥn heddiw. *A*llwch chi *dd*od?

Huw: Galla, mae'n *d*ebɥg.

27. New Clothes.

Nest: I was telling mother yesterday.

Huw: Telling (her) what?

Nest: You need (to get) new clothes.

Huw: Clothes! Clothes! No indeed Nest.

Nest: It's a pity to see your suit. But you don't mind.

Huw: It isn't bad at all.

Nest: It's time you had a dark suit.

Huw: This one is good enough.

Nest: We had better go to town today.

Huw: Oh no, not today. There's no hurry.

Nest: I want you to look clean.

Huw: Of course!

Nest: And there's a chance for us to do some shopping today. Can you come?

Huw: Yes, it seems. (I suppose).

★　★　★　★　★　★　★

Nest: Mae'n *w*ell i ni edrɥch yn siop Owen yn *g*ynta.

Huw: O'r gorau. Dewch ymlaen.

Nest: Mae hi'n *b*rɥd i Siân *g*ael sgyrt, het, hosanau, menig ac esgid-iau brown.

Huw: Ac mae rhaid i Siôn *g*ael trow-sus, côt *l*aw a welingtons.

Nest: We had better look in Owen's shop first.

Huw: Very well. Come on.

Nest: It's time for Siân to have a skirt, hat, stockings, gloves and brown shoes.

Huw: And Siôn must have a pair of trousers, a rain coat and well-ingtons.

Nest:	Mae eisiau i chi *brynu* hancesi a *chr*ʋd hefʋd.	Nest:	You need to buy handkerchiefs and a shirt too.
Huw:	Does dim un botwm ar fy *ngh*rʋs i ar hʋn o brʋd.	Huw:	There isn't one button on my shirt at the moment.
Nest:	Gadewch i *f*i *w*eld. O, mae'r siaced yma'n *w*ael. Ac mae pob poced yn llawn, fel arfer.	Nest:	Let me see. Oh, this jacket is in a bad state. And every pocket is full, as usual.
Huw:	Fe *f*ʋdd rhaid i *f*i *g*ael lasʋs esgidiau rʋwle hefʋd.	Huw:	I shall have to get shoe laces somewhere too.
Nest:	Gadewch i ni *g*ychwʋn 'te.	Nest:	Let's start, then!
Huw:	O'r gorau. I ffwrdd â ni!	Huw:	Very well. Away we go!

PATTERN PRACTICE

1.

. . . i *f*i
. . . iddo fe
. . . iddi hi
. . . i ni
. . . i chi
. . . iddʋn nhw
. . . i'r dynion

2.

Fe *f*ʋdd *F*ʋdd(?)	eisiau	i *f*i gael sebon mewn munud i chi *g*ael dillad newʋdd iddo fe gael siwt *d*ywʋll iddi hi *w*eithio llai i ni *f*ʋnd ar unwaith i chi *g*ael sgyrt iddʋn nhw siopa tipʋn
Mae Oes(?)		

3.

Mae Ydʋ (?)	hi'n *br*ʋd i chi	*g*ael siwt *d*ywʋll *g*ael wʋthnos o wʋliau *g*ael help yn y swʋddfa *g*ael sgwrs â'r llyfrgellʋdd orffwʋs beintio'r *s*tafell welʋ *g*odi *a*lw *w*isgo

4.

Mae Ydʋ(?)	hi'n *w*ell i ni	awgrymu hynnʋ *f*ʋnd i Fangor smygu llai *l*anhau'r cwpwrdd *a*lw heno roi'r cwbl yn y *f*asged *f*ʋnd at y meddʋg *w*rando arno fe *g*au'r ffenestri ar *l*awr anfon llythʋr anghofio'r cyfan

198

5.

Rydw i Dydw i *dd*im	am i chi	arogli'r blodau yma *g*yfarfod (*g*wrdd) â Mrs. Jones *w*ɰbod *b*enderfynu heno ffonio cɰn swper *f*rysio *o*lchi'r llestri

6.

Gadewch i *ʃ*i	'ch clywed chi *w*eld y baw yna eistedd helpu *ʃ*od (*be*) *w*eiddi arno

7.

Roedd Mae Fe *ʃ*ɰdd	rhaid i *ʃ*i	*dd*isgwɰl am y *d*orth *o*fɰn i'r *w*raig *w*eld y stafell *g*ynnau'r tân chwilio am y llɰfr *dd*ringo'r clogwɰn yma ei *r*oi e ar y silff-*b*en-tân

8.

Mae Fe *ʃ*ɰdd	cyfle i ni	siopa tipɰn heddiw *b*aratoi y bore yma holi'r ficer *d*refnu bore yforɰ *d*rwsio'r beic

9.

Fe *ʃ*ɰdd Mae Roedd	hi'n *d*rueni	gweld eich	siwt ffrog tei trowsus crɰs dillad esgidiau	chi

10.

Beth	ydɥch oeddech	chi	{ am eisiau	ei wneud?

Rydw i Roeddwn i	am	aros gerdded ffonio ddod dalu
	eisiau	gofɥn cwestiwn

11.

Allwch chi? (Can you?)	Galla, fe alla i (Yes, I can) Na alla, alla i ddim (No, I can't)

12.

Mae rhaid i fi beidio â (ag) (I mustn't . . .)
Mae'n well i fi beidio â (ag) (I had better not . . .)

Vocabulary (Geirfa):

botwm (m) — button
brɥs (m) — hurry
crɥs (m) — shirt
cwestiwn (m) — question
dɥn (m), (-ion) — man
gofid (m) — worry, trouble, sorrow
lle (m) — place
llyfrgellɥdd (m) — librarian
poen (m) — trouble, worry, sorrow
trueni (m) — pity

côt law (f) — raincoat
esgid (f), (-iau) — boot(s), shoe(s)

hances (f), (-i) — handkerchief(s)
het (f), (-iau) — hat(s)
maneg (f), menig — glove(s)
poced (f), (-i) — pocket (s)
sgyrt (f) — skirt

dillad — clothes
lasɥs — laces
cwrdd (cyfarfod) — to meet
methu — to fail
rhɥwle — somewhere
welingtons — wellingtons

Grammar (Gramadeg):

1. Note the following expressions with the preposition 'i' (for). They are followed by the soft mutation of : c, p, t, g, b, d, ll, rh, m.

1. Gadewch i fi weld.
   Let me see.

2. Mae hi'n drueni i chi fethu.
   It's a pity for you to fail.

3. Mae hi'n brµd i chi godi.
   It's time for you to get up.

4. Mae hi'n well i ni gychwµn.
   We had better start.

5. Mae rhaid iddo fe ddod.
   He must come.

6. Mae eisiau iddi wµbod.
   She needs to know.

7. Mae cyfle i chi yma.
   There's a chance for you here.

8. Mae e am i chi alw.
   He wants you to call.

9. Mae'n well gen i de na choffi.
   I prefer tea to coffee.

2. The above examples (2–9) can be changed to Past and Future tenses by substituting "Roedd" (was) and "Fe fµdd" (will be) for "Mae".

   e.g. Mae hi'n brµd i chi godi.   It *is* time for you to get up.
         Roedd hi'n brµd i chi godi.   It *was* time for you to get up.
         Fe fµdd hi'n brµd i chi godi.   It *will be* time for you to get up.

3. Notice.

Statements Present tense	Questions
Mae rhaid . . .	Oes rhaid . . . ?
Mae eisiau . . .	Oes eisiau . . . ?
Mae hi'n well . . .	Ydµ hi'n well . . . ?
Mae hi'n brµd	Ydµ hi'n brµd?
Imperfect tense	
Roedd rhaid . . .	Oedd rhaid . . . ?
Roedd eisiau . . .	Oedd eisiau . . . ?
Roedd hi'n well . . .	Oedd hi'n well . . . ?
Roedd hi'n brµd . . .	Oedd hi'n brµd . . . ?
Future tense	
Fe fµdd rhaid . . .	Fµdd rhaid . . . ?
Fe fµdd eisiau . . .	Fµdd eisiau . . . ?
Fe fµdd hi'n well . . .	Fµdd hi'n well . . . ?
Fe fµdd hi'n brµd . . .	Fµdd hi'n brµd . . . ?

Exercises (Ymarferion):

1. Give 'yes' answers to the following questions:

    1. Oes eisiau i chi *g*ael dillad newydd? .... Oes, mae eisiau i *f*i *g*ael dillad newydd.

    2. Oes eisiau i ni *f*ynd ar unwaith? .... Oes, mae eisiau i ni *f*ynd ar unwaith.

    3. Oes eisiau i *f*i *g*ael sebon? .... Oes, mae eisiau i chi *g*ael sebon.

    4. Oes eisiau iddi hi *w*eithio llai? .... Oes, mae eisiau iddi hi *w*eithio llai.

    5. Ydy hi'n *b*ryd i chi *g*ael help yn y swyddfa? .... Ydy, mae hi'n *b*ryd i *f*i *g*ael help yn y swyddfa.

    6. Ydy hi'n *b*ryd i *f*i *g*odi? .... Ydy, mae hi'n *b*ryd i chi *g*odi.

    7. Ydy hi'n *b*ryd i ni *g*ael wythnos o *w*yliau? .... Ydy, mae hi'n *b*ryd i ni *g*ael wythnos o *w*yliau.

    8. Ydy hi'n *b*ryd iddyn nhw *a*lw? .... Ydy, mae hi'n *b*ryd iddyn nhw *a*lw.

2. Give the question form for the following:

    > e.g. Mae hi'n *w*ell i ni *f*ynd.
    > Ydy hi'n *w*ell i ni *f*ynd?

    1. Mae hi'n *w*ell i ni *f*ynd at y meddyg.
    2. Mae hi'n *w*ell i ni *l*anhau'r cwpwrdd.
    3. Mae hi'n *w*ell i ni *w*rando arno fe.
    4. Mae hi'n *w*ell i ni smygu llai.

3. Give the negative forms of the following:

    > e.g. Rydw i am i chi *w*ybod.
    > Dydw i *dd*im am i chi *w*ybod.

    1. Rydw i am i chi *f*rysio.
    2. Rydw i am i chi *b*enderfynu heno.
    3. Rydw i am i chi ffonio cyn swper.
    4. Rydw i am i chi *g*yfarfod â (*g*wrdd â) Mrs. Jones.

4. Translate the following sentences:

    1. Let me be.   Gadewch i *f*i *f*od.
    2. Let me see.   Gadewch i *f*i *w*eld.

3.	Let me sit.	Gadewch i *f*i eistedd.
4.	Let me help.	Gadewch i *f*i helpu.
5.	I must ask the wife.	Mae rhaid i *f*i ofɲn i'r *w*raig.
6.	I must search for the book.	Mae rhaid i *f*i chwilio am y llɲfr.
7.	I must light the fire.	Mae rhaid i *f*i *g*ynnau'r tân.
8.	There is a chance for us now.	Mae cyfle i ni nawr.
9.	There is a chance for us to prepare this morning.	Mae cyfle i ni *b*aratoi y bore yma.
10.	You need to get new clothes.	Mae eisiau i chi *g*ael dillad newɲdd.
11.	It's a pity for them to see your shirt.	Mae hi'n *d*rueni iddɲn nhw *w*eld eich crɲs chi.
12.	You need to buy handkerchiefs.	Mae eisiau i chi *b*rynu hancesi.
13.	We had better start, then.	Mae hi'n *w*ell i ni *g*ychwɲn, 'te.
14.	I want you to look clean.	Rydw i am i chi edrɲch yn *l*ân.
15.	It is time you had a dark suit.	Mae hi'n *b*rɲd i chi *g*ael siwt *d*ywɲll.
16.	Of course.	Wrth *g*wrs.
17.	Very well.	O'r gorau.
18.	I must have shoelaces somewhere.	Mae rhaid i *f*i *g*ael lasɲs esgidiau rɲwle.
19.	It's a pity!	Mae hi'n *d*rueni.

Activities:

1. Prepare a dialogue entitled "Sale Time".

2. Make a list of clothes which Huw and Nest, Siôn and Siân need for their continental holiday or hiking expedition.

3. Formulate ten questions based on Unit 27 and ask your partner to answer them.

4. Prepare a series of cards (four of each) containing thirteen speech patterns already studied and use them either for a Snap game or Pattern Families (cf. Happy Families).

5. Know-all. The leader asks other members of the group whether they can perform certain feats e.g. *A*llwch chi *g*anu'r piano? (Can you play the piano?) They must mime the action and say in Welsh that they can perform the feat, e.g. Galla, fe *a*lla i *g*anu'r piano ond . . . OR Pretend that you are giving the members an 'audition' for the Welsh Orchestra!

28. Amser Cinio.

Nest: Allwch chi helpu i osod y bwrdd, Huw?

Huw: Pam? Beth sy'n bod? Fuoch chi yn y dre?

Nest: Do, fe fues i'n siopa drwy'r bore.

Huw: Mae'n well i fi helpu, felly. Fuodd Tom a Mair yma o gwbl?

Nest: Wn i ddim wir. Fuon nhw ddim yma ar ôl deuddeg, beth bynnag.

Huw: A fuon nhw ddim ar y ffôn.

Nest: Naddo, dydw i ddim yn meddwl.

★ ★ ★ ★ ★ ★ ★

Huw: Pryd bydd cinio'n barod, cariad?

Nest: Fe fydd e'n barod ymhen munud. Mae eisiau pum munud ar y tatws, dyna'i gyd.

Huw: Fe alla i ddod at y bwrdd 'te!

Nest: Gallwch, gallwch. Sut fore gawsoch chi?

Huw: Fe ges i fore prysur iawn. Doedd dim hwyl ar y boss.

Nest: O, mae'n ddrwg gen i glywed. Fe gawson ni fore dymunol iawn.

Huw: Ble'r aethoch chi i gyd?

Nest: Wel, fe es i i Marks ac fe aeth Mair i'r banc.

Huw: Pryd daethoch chi adre, 'te?

28. Lunch time.

Nest: Can you help to lay the table, Huw?

Huw: Why? What's the matter? Have you been to town?

Nest: Yes, I have been shopping throughout the morning.

Huw: I had better help, therefore. Have Tom and Mair been here at all?

Nest: I don't know indeed. They haven't been here after twelve, anyway.

Huw: And they haven't been on the telephone.

Nest: No, I don't think so.

Huw: When will lunch be ready, dear?

Nest: It will be ready in a minute. The potatoes want five minutes, that's all.

Huw: I can come to the table, then!

Nest: What kind of a morning did you get?

Huw: I had a very busy morning. The boss wasn't in a good mood.

Nest: Oh, I'm sorry to hear. We had a very pleasant morning.

Huw: Where did you go in all?

Nest: Well, I went to Marks and Mair went to the bank.

Huw: When did you come home, then?

Nest: Fe *dd*es i adre erb*y*n deuddeg a doedd Mair *dd*im yn hw*y*r iawn.

Nest: I came home by twelve and Mair wasn't very late.

Huw: Fe *w*naethoch chi'r cinio'n *g*yfl*y*m *d*ros *b*en.

Huw: You made the dinner extremely quickly.

Nest: Do, fe *w*nes i *b*opeth c*y*n m*y*nd. Doedd dim rhaid i *f*i *f*rysio cymaint wed*y*n.

Nest: Yes, I did everything before going. I didn't have to hurry so much then.

★ ★ ★ ★ ★ ★ ★

Huw: *W*naeth y peintw*y*r eu gwaith?

Huw: Did the painters do their work?

Nest: Do, fe *w*naethon nhw'u gwaith yn *dd*a, chwarae teg.

Nest: Yes, they did their work well, fair play.

Huw: Gawson nhw'u talu?

Huw: Did they get their pay (paid)?

Nest: Naddo, doedd dim ll*y*fr siec gen i.

Nest: No, I didn't have a cheque book.

Huw: Aethon nhw â'r brwsh*y*s gyda nhw?

Huw: Did they take their brushes with them?

Nest: Do, rydw i'n meddwl.

Nest: Yes, I think.

Huw: O wel, fe *g*awson ni *g*inio blasus heddiw eto.

Huw: Oh well, we had a tasty lunch today again.

Nest: Diolch yn *f*awr i chi, Huw.

Nest: Thank you very much, Huw.

PATTERN PRACTICE

1.

> *Notice*
>
> Questions containing the Short forms of:
>
> | | have |
> |---|---|
> | Past Tense Verbs | Do/Naddo (Yes)/(No) in the answer |
>
> *e.g.*
>
> | | |
> |---|---|
> | *F*uoch chi . . . ? | Do, fe *f*ues i . . . |
> | Aethoch chi . . . . ? | Naddo, es i *dd*im . . . |
> | *Dd*aethoch chi . . . ? | Do, fe *dd*es i . . . |
> | *W*naethoch chi . . . ? | Naddo, *w*nes i *dd*im . . . |
> | Gawsoch chi . . . ? | Do, fe *g*es i . . . |

205

Fuoch chi	yn	y rasus? Llundain? Lerpwl?	Do, fe fues i yn . . . Naddo, fues i ddim yn . .
	'n	brysur? gweld y gêm?	,, ,, ,, ,,
Fuoch chi	ar	yr orsaf? y platfform? y lawnt?	,, ,, ,, ,,
	gyda'r	heddlu? prifathro? trip? bechgyn?	,, ,, ,, ,,

(b)

| Fuodd Huw/Fuodd e
Fuodd Nest/Fuodd hi
Fuodd Huw a Nest
Fuon nhw | yn
('n) | astudio Cymraeg?
y bwthyn?
y cyfarfod?
y ddarlith?
ddrwg? (naughty)
gyda chi?
yr ardd?
prynu esgidiau? | Do, fe fuodd Huw . ./e/ . . .
Do, fe fuodd Nest . . ./hi/
Do, fe fuodd Huw a Nest . .
Do, fe fuon nhw . . .
Naddo, fuodd . . ./fuon
nhw ddim . . . |

(c)

| Fe fues i (*I have been*)
Fe fuodd e/hi (*He/she has been*)
Fe fuon ni (*We have been*)
Fe fuoch chi (*You have been*)
Fe fuon nhw (*They have been*) | Fues i ddim (*I haven't been*)
Fuodd e/hi ddim (*He/she hasn't been*)
Fuon ni ddim (*We haven't been*)
Fuoch chi ddim (*You haven't been*)
Fuon nhw ddim (*They haven't been*) |

3. (a)

Fe es i	(*I went*)
Fe aeth e (hi)	(*He/she went*)
Fe aethon ni	(*We went*)
Fe aethoch chi	(*You went*)
Fe aethon nhw	(*They went*)

(b)

Es i *dd*im	*(I didn't go)*
Aeth e/hi *dd*im	*(He/she didn't go)*
Aethon ni *dd*im	*(We didn't go)*
Aethoch chi *dd*im	*(You didn't go)*
Aethon nhw *dd*im	*(They didn't go)*

(c)

Aethoch chi	i'r Clwb Cinio Cymraeg? adre? 'n sɥth? *(straightaway)* heibio i'r lle? *(past the place)* i Sir *B*enfro? i Sir *F*organnwg? i'r llythyrdɥ? i'r *f*ynwent? i nôl *(to fetch)* y car?	Do, fe es i . . . Naddo, es i *dd*im . . .

4. (a)

*Dd*aethoch chi	heb *(without)* y plant? cɥn gorffen? *dd*ɥdd Sadwrn? i'r llwɥfan? erbɥn deg? heb *f*recwast? heibio i'r sgwâr? ar ôl y gwasanaeth? ar unwaith? 'n *f*ore? yn y car?	Do, fe *dd*es i . . . Naddo, *dd*es i *dd*im . . .

(b)

Fe *dd*es i *(I came)*	*Dd*es i *dd*im *(I didn't come)*
Fe *dd*aeth e/hi	*Dd*aeth e/hi *dd*im
Fe *dd*aethon ni	*Dd*aethon ni *dd*im
Fe *dd*aethoch chi	*Dd*aethoch chi *dd*im
Fe *dd*aethon nhw	*Dd*aethon nhw *dd*im

5. *(a)*

*W*naethoch chi'r	pwdin? cinio? silff *l*yfrau? *dd*ɥsgl? glanhau? cinio? coginio?	Do, fe *w*nes i'r . . . Naddo, *w*nes i mo'r . . .

(b)

Fe *w*nes i (*I did/made*) Fe *w*naeth e/hi Fe *w*naethon ni Fe *w*naethoch chi Fe *w*naethon nhw	*W*nes i *dd*im (*I didn't do/make*) *W*naeth e/hi *dd*im *W*naethon ni *dd*im *W*naethoch chi *dd*im *W*naethon nhw *dd*im

6. *(a)*

*G*awsoch chi'r	llythyrau anghywir? bagiau? rhaglen? llyth*ɥ*r? stampiau? tywel? toc*ɥ*n? tabledi? bas*n*?	Do, fe *g*es i'r . . .
*G*awsoch chi	*f*argen? salwch? iech*ɥ*d? swllt? annw*ɥ*d? *b*en tost/*g*ur pen? *dd*amwain? *b*ysgod*ɥ*n? *b*etrol? niwed i'ch bysedd?	Naddo, *ch*es i *dd*im . . .

6. *(b)*

Fe *g*es i (*I got*) Fe *g*afodd e/hi Fe *g*awson ni Fe *g*awsoch chi Fe *g*awson nhw	*Ch*es i *dd*im (*I didn't get*) *Ch*afodd e/hi *dd*im *Ch*awson ni *dd*im *Ch*awsoch chi *dd*im *Ch*awson nhw *dd*im

Vocabulary (Geirfa):

banc (*m*) — bank
brwsh (*m*), (-ʊs) — brush(es)
deintɥdd (*m*) — dentist
Lerpwl (*m*) — Liverpool
Llundain (*m*) — London
peintiwr (*m*), peintwʊr — painter(s)
porc (*m*) — pork

postmon (*m*) — postman

dɥsgl (*f*), y *dd*ɥsgl — bowl, dish
siec (*f*) — cheque

heibio — past
sʊth, yn sʊth — straight

Grammar (Gramadeg):

1. The inflected Perfect Tense.

Perfect Tense (long form)	Perfect Tense (short form)	English Form
Rydw i wedi bod	fe *f*ues (*f*ûm) i	I have been (*I was*)
Rwʊt ti wedi bod	fe *f*uest ti	you have been (*you were*)
Mae e/hi wedi bod	fe *f*uodd e/hi	he/she has been (*he/she was*)
Rydʊn ni wedi bod	fe *f*uon ni	we have been (*we were*)
Rydʊch chi wedi bod	fe *f*uoch chi	you have been (*you were*)
Maen nhw wedi bod	fe *f*uon nhw	they have been (*they were*)

2. 'Fe *f*uodd' has many meanings. e.g. there was / took place / happened.

Fe *f*uodd damwain ar y sgwâr *dd*oe.
(There was an accident on the square yesterday.)
(An accident happened / took place on the square yesterday.)

3. To form the Perfect Tense (long form) of the verbs, add their **Present Participle** to the above tense as in English.

e.g.   Fe *f*ues i'n garddio y bore yma.
(I have been gardening this morning.)

Fe *f*uon nhw'n glanhau'r *f*ynwent yr wʊthnos *dd*iwetha.
(They have been cleaning the cemetery last week.)

4.

Question	Answer
*F*uoch chi? (Have you been?) (Were you?)	Do (Yes) Naddo (No)

5. "Ond do" is placed after a past preterite (or perfect) assertion when an affirmative reply is expected.

> e.g. Fe *g*awsoch chi'r parsel, ond do?   Do
> (You got (received) the parcel, didn't you?   Yes.)

6. For the conjugations of irregular verbs 'm*p*nd' (to go), 'dod' (to come), 'gwneud' (to do), 'cael' (to get, have . . .) in the Perfect Tense, see Pattern Practice, Unit 28.

Exercises (Ymarferion):

1. Give 'yes' answers to the following questions:
   1. *F*uoch chi yn Lerpwl?

      Do, fe *f*ues i yn Lerpwl.
   2. Aethoch chi i Sir *F*ôn?

      Do, fe es i i Sir *F*ôn.
   3. *Dd*aethoch chi adre ar y bws?

      Do, fe *dd*es i adre ar y bws.
   4. *W*naethoch chi'r siopa i g*p*d?

      Do, fe *w*nes i'r siopa i g*p*d.
   5. Gawsoch chi siwt new*p*dd?

      Do, fe *g*es i siwt new*p*dd.

2. Give 'no' answers to the questions in 1. Here are the correct answers:
   1. Naddo, *f*ues i *dd*im yn Lerpwl.
   2. Naddo, es i *dd*im i Sir *F*ôn.
   3. Naddo, *dd*es i *dd*im adre ar y bws.
   4. Naddo, *w*nes i *dd*im o'r siopa i g*p*d.
   5. Naddo, *ch*es i *dd*im siwt new*p*dd.

3. Substitute the question forms for the following:
   1. Do, fe *f*ues i yn y *d*re.

      *F*uoch chi yn y *d*re?
   2. Naddo, *f*uon nhw *dd*im yma.

      *F*uon nhw yma?
   3. Do, fe *g*es i *g*ig.

      Gawsoch chi *g*ig?
   4. Do, fe *dd*aeth e c*p*n naw.

      *Dd*aeth e c*p*n naw?
   5. Do, fe aeth Mrs. Davies ar unwaith.

      Aeth Mrs. Davies ar unwaith?
   6. Do, fe *w*naethon nhw'u gwaith.

      *W*naethon nhw'u gwaith?
   7. Naddo, *ch*es i *dd*im bore prysur iawn.

      Gawsoch chi *f*ore prysur iawn?

210

4. Translate (Cyfieithwch):

1.	Have you been to the races?	Fuoch chi yn y rasys?
2.	Has Nest been to London?	Fuodd Nest yn Llundain?
3.	Have you been naughty?	Fuoch chi'n ddrwg?
4.	They have been here.	Fe fuon nhw yma.
5.	Did you go home straightaway?	Aethoch chi adre'n syth?
6.	Did she go to the post office?	Aeth hi i'r llythyrdy?
7.	Did they go to fetch the car?	Aethon nhw i nôl y car?
8.	Did you come without the children?	Ddaethoch chi heb y plant?
9.	They didn't come at once.	Ddaethon nhw ddim ar unwaith.
10.	Did you make the book-shelf?	Wnaethoch chi'r silff-lyfrau?
11.	I made the table in the evening class.	Fe wnes i'r bwrdd yn y dosbarth nos.
12.	Did you get the ticket?	Gawsoch chi'r tocyn?
13.	Did you get a cold?	Gawsoch chi annwyd?
14.	He had petrol in town.	Fe gafodd e betrol yn y dre.
15.	I didn't get a programme.	Ches i ddim rhaglen.

Activities:

1. Work in twos. 'A' speaks as many sentences as he possibly can in Welsh and 'B' acts as an interpreter.

2. Chain Story. One member begins with "Un tro fe fues i yn . . ." Other members continue the story. (It might end in Siberia!)

3. Divide into threes to practise Question forms of the Perfect Tense verbs, Affirmative and Negative answers.

   e.g. A. Gawsoch chi ginio?

        B. Do, fe ges i ginio mewn gwesty.

        C. Naddo, ches i ddim cinio eto.

   Try and extend the sentences as much as possible.

4. Pretend that you are a waiter at a cafe. Enact the scene.

5. I went to town. 'A' begins with "Fe es i i'r dre ac fe welais i gar coch." 'B' adds an item to the original statement.

6. Mime or give a pictorial clue to suggest a particular place in Wales which you have visited and let the others guess where it is e.g. Fe fuoch chi yn Llandaf ac fe welsoch chi'r Majestas.

7. Write to the Wales Tourist Board for literature on Wales and use it for your next oral session. (Bwrdd Croeso Cymru, Park Place, Caerdydd).

29. Huw! Huw!

Nest: Fe *ges* i'r negesau. Ond beth am
y gwin?

Huw: Mae'n *dd*rwg gen i. Fe yfais i'r
cwbl. Roedd syched ofnadw*ŷ*
arna i.

Nest: *Dd*aethoch chi â'r *d*eisen?

Huw: Do, fe *dd*es i â hi, ond fe *f*wŷtais
i *d*amaid c*ŷ*n m*ŷ*nd i'r gwaith.

Nest: *W*elsoch chi 'r tywel *rŷ*wle?

Huw: Y tywel! Y tywel! O do, fe
*dd*efnyddiais i e i *l*anhau'r car.

Nest: Glanhau'r car! Gadewch i *f*i
*w*eld. Nac oes *w*ir. Does dim
synnw*ŷ*r genn*ŷ*ch chi *dd*ynion.

Huw: *F*eddyliais i *dd*im b*ŷ*d.

Nest: *F*eddylioch chi *dd*im b*ŷ*d *w*ir!
Mae'n hen br*ŷ*d i chi *f*eddwl.

29. Huw! Huw!

Nest: I got the goods. But what about
the wine?

Huw: I am sorry. I drank the lot. I had
a terrible thirst.

Nest: Did you bring the cake?

Huw: Yes, I brought it, but I ate a piece
before going to work.

Nest: Did you see the towel anywhere?

Huw: The towel! The towel! Oh yes,
I used it to clean the car.

Nest: Clean the car! Let me see. No
indeed. You men haven't got
any sense.

Huw: I didn't think anything.

Nest: You didn't think anything indeed!
It's high time for you to think.

★ ★ ★ ★ ★ ★ ★

Nest: Huw! Huw! Yd*ŷ*'r sigarets wedi
gorffen?

Huw: Yd*ŷ*n, siŵr o *f*od. Fe smygais i'r
un ola nawr. Fe *g*af i *r*agor y
prynhawn yma.

Nest: Gobeithio *w*ir. Rydw i'n chwilio
am y lliain bwrdd ers hanner
awr. *W*elsoch chi e?

Huw: Do, do. Fe *a*dawais i e yn yr
*a*rdd ar ôl brecwast ac fe
anghofiais i *b*opeth amdano.

Nest: Wel, ewch i nôl e. Mae hi'n
bwrw glaw ers deng munud.

Huw: O'r gorau. Fe â i nawr.

Nest: Huw! Huw! Have the cigarettes
finished?

Huw: Yes, sure to be. I smoked the last
one now. I shall get some more
this afternoon.

Nest: I hope so indeed. I'm looking for
the table cloth since half an
hour. Did you see it?

Huw: Yes, yes. I left it in the garden
after breakfast and I forgot
everything about it.

Nest: Well, go and fetch it. It's been
raining for ten minutes.

Huw: Very well. I shall go now.

★ ★ ★ ★ ★ ★ ★

212

Nest:	Huw! Huw! Ble mae'ch watsh chi?	Nest:	Huw! Huw! Where's your watch?
Huw:	O, fe gollais i'r watsh a'r sbectol ddoe.	Huw:	Oh, I lost the watch and spectacles yesterday.
Nest:	Wel, ddwedoch chi wrth yr heddlu?	Nest:	Well, did you tell the police?
Huw:	Naddo, welais i mo'r heddlu.	Huw:	No, I didn't see the police.
Nest:	Edrychoch chi ar y llofft?	Nest:	Did you look upstairs?
Huw:	Do, fe edrychais i ar y llofft ac ar y llawr.	Huw:	Yes, I looked upstairs and downstairs.
Nest:	Glywsoch chi nhw'n syrthio?	Nest:	Did you hear them falling?
Huw:	Naddo, gwaetha'r modd.	Huw:	No, worse luck.
Nest:	Wel, wn i ddim wir. Rydych chi'n hollol dwp!	Nest:	Well, I don't know indeed. You are completely dull (stupid).

PATTERN PRACTICE

1.

Ble	mae'r roedd y (yr)	groesffordd? gwin? sigarets? lliain bwrdd?
		afalau? anhawster (*difficulty*)

2.

Fe yfais i'r	sudd oren cwrw cwpanaid	i gyd	Yfoch chi'r . . . ?

3.

Oes	lle-tân llenni lluniau ffisig mwstard	yma?

213

4.

*W*elsoch chi'r	paffio? teulu ar yr aelw*y*d? amgueddfa? rhaglen? tai? (*houses*) *b*riodas? (*wedding*) bech*gy*n clyfar yna? hen *w*raig yn crïo? eira ar y myn*y*dd?	Do, fe *w*elais i'r . . . Naddo, *w*elais i mo'r . . .

5.

Fe *dd*efnyddiais i'r	*g*yllell yn aml offer garddio beiro lliain ymolchi *b*adell ffrïo

6.

*F*w*y*toch chi	*l*awer? *dd*igon? *o*rmod? ffrw*y*thau i *d*e?

7.

Fe smygais i	*dd*w*y* *d*air *b*edair *b*um ugain	sigaret *dd*oe
	sig*â*r bibell (*pipe*) owns o *f*aco (*an ounce of tobacco*)	

8.

Fe *a*dawais i'r	car y tu allan beic o *f*laen y t*ŷ* llestri yn y sinc arian ar y bwrdd ll*y*fr Cymraeg yn y llyfrgell

9.

Fe anghofiais i'r	allwedd (*key*) neges cig sebon	yn llwyr (*completely*)

10.

Ddwed(s)och chi wrth	y	plismon? ficer? (*vicar*) gŵr? wraig?
	yr	athro? (*male teacher*) athrawes? (*female teacher*)

11.

Edrychoch chi	dan y gadair? wrth y ddesg? ar y llawr? i fynŵ'r grisiau (*upstairs*) o gwmpas?

12.

Do, fe	yfais i fwŵtais i ddefnyddiais i feddyliais i smygais i adawais i anghofiais i gollais i welais i edrychais i	Naddo,	yfais i ddim fwŵtais i ddim ddefnyddiais i ddim feddyliais i ddim smygais i ddim adawais i ddim anghofiais i ddim chollais i ddim welais i ddim edrychais i ddim

Vocabulary (Geirfa):

baco (*m*) — tobacco
ficer (*m*) — vicar
sudd oren (*m*) — orange juice
synnwɥr (*m*) — sense

allwedd (*f*) — key (agoriad in N.W.)
athrawes (*f*) — female teacher
beiro (*f*) — biro
padell ffrïo (*f*) — frying pan
pibell (*f*) — pipe (smoker's)
sigâr (*f*) — cigar
watsh (*f*) — watch

anghofio — to forget

bwɥta — to eat
colli — to lose
defnyddio — to use
dweud — to say
edrɥch — to look
gadael — to leave, let
grisiau — steps, stairs
gweld — to see
hollol — completely
llwɥr — completely
meddwl — to think
nôl — to fetch
offer garddio — gardening tools
smygu — to smoke

Grammar (Gramadeg):

1. Conjugation of regular verbs in the Past Tense:

    The following are the normal endings (short forms):

-ais i	
-aist ti	
-odd e/hi	
-(a)(s)on ni	fe *o*fyn(s)on ni (*we asked*)
-(a)(s)och chi	fe *dd*wed(s)och chi (*you said*)
-(a)(s)on nhw	fe *g*an(s)on nhw (*they sang*)

Question	Affirmative answer	Negative answer
*Gl*ywais i?	Fe *gl*ywais i	*Chl*ywais i *dd*im
*Gl*ywaist ti?	Fe *gl*ywaist ti	*Chl*ywaist ti *dd*im
*Gl*ywodd e/hi?	Fe *gl*ywodd e/hi	*Chl*ywodd e/hi *dd*im
*Gl*ywson ni?	Fe *gl*ywson ni	*Chl*ywson ni *dd*im
*Gl*ywsoch chi?	Fe *gl*ywsoch chi	*Chl*ywsoch chi *dd*im
*Gl*ywson nhw?	Fe *gl*ywson nhw	*Chl*ywson nhw *dd*im

2. (In North Wales, 'fe' is replaced by 'mi', 'e' becomes 'o').

    e.g.   mi *g*lywodd o (N.W.)
    fe *g*lywodd e (S.W.)

3. A common form of expression in North Wales is "Fe *dd*aru mi *g*lywed" (**I heard**) The answer to all questions in the Past and Perfect Tense is either Do (**Yes**) or Naddo (**No**).

216

4. See Pattern Practice and Grammar section for a list of Past Tense forms.

5. The following verbs insert an 'i' between the stem and the ending:

dal (to catch, hold)	fe *dd*aliais i (I caught)
arwain (to lead, conduct)	fe arweiniais i (I led, conducted)
sôn (to mention)	fe soniais i (I mentioned)
meddwl (to think)	fe *f*eddyliais i (I thought)
cynnal (to hold)	fe *g*ynhaliais i (I held a meeting)

   cf.   disgwʋl (to expect), newid (to change), cynnig (to offer), bwrw (to throw)

6. Verbs like cael (have), gweld (see), clywed (hear), gwrando (listen), taro (strike), gadael (leave), addo (promise) drop the 'a' in the plural of the Past (and Pluperfect) tenses.

   e.g.   fe *g*lywson ni   fe *w*randawson ni ar y *dd*rama
          we heard   we listened to the drama

7. Note the following Past Tense verbs.

Bwʋta (eat)	*Mwʋnhau (enjoy)*
Fe *f*wʋtais i	Fe *f*wʋnheuais i
Fe *f*wʋtaist ti	Fe *f*wʋnheuaist ti
Fe *f*wʋtodd e/hi	Fe *f*wʋnheuodd e/hi
Fe *f*wʋtson/*f*wʋton ni	Fe *f*wʋnheuson/*f*wʋnheuon ni
Fe *f*wʋtsoch/*f*wʋtoch chi	Fe *f*wʋnheusoch/*f*wʋnheuoch chi
Fe *f*wʋtson/*f*wʋton nhw	Fe *f*wʋnheuson/*f*wʋnheuon nhw

Troi (turn)			*Nabod (know)*
Fe *d*roiaist i	cf.		Fe nabyddais i
Fe *d*roiaist i		deffro	Fe nabyddaist ti
Fe *d*roiodd e/hi		paratoi	Fe nabyddodd e/hi
Fe *d*roeson ni		rhoi	Fe nabyddson/nabyddon ni
Fe *d*roesoch chi		cloi	Fe nabyddsoch/nabyddoch chi
Fe *d*roeson nhw			Fe nabyddson/nabyddon nhw
			cf. cyfarfod (*meet*), darganfod
			(*discover*), etc.

Exercises (Ymarferion):

1. Translate (Cyfieithwch):

   1. I lost the watch.   . . . .
                                 Fe *g*ollais i'r watsh.

217

2. I drank the lot.

....
Fe yfais i'r cwbl.

3. I ate the cake.

....
Fe *fwptais* i'r *deisen*.

4. I used the towel.

....
Fe *ddefnyddiais* i'r tywel.

5. I smoked the last one.

....
Fe smygais i'r un ola.

6. I left the cloth in the garden.

....
Fe *adawais* i'r lliain yn yr *ardd*.

7. I forgot the cigarettes.

....
Fe anghofiais i'r sigarets.

8. I looked in the bathroom.

....
Fe edrychais i yn y stafell ymolchi.

9. I didn't see the soap.

....
*W*elais i mo'r sebon.

2. Complete the following sentences using appropriate nouns from previous **units**:

1. Fe edrychais i yn . . .
2. Fe *a*dawais i'r . . . yn y . . .
3. Fe *dd*efnyddiais i'r . . . y prynhawn yma.
4. Fe *fw*ptais i'r . . . ar ôl . . .
5. Fe anghofiais i'r . . ., mae'n *dd*rwg gen i.
6. Fe *g*ollais i'r . . . yn . . .

3. Give 'yes' answers to the following questions:

1. *W*elsoch chi'r amgueddfa?
2. Edrychoch chi ar y llawr?
3. *Dd*efnyddioch chi'r beiro y bore yma?
4. *F*wptoch chi'r cwbl?
5. Glywsoch chi'r newyddion?
6. Anghofioch chi'r allwedd?
7. *Dd*wedsoch chi wrth y *w*raig?
8. Edrychoch chi i fynp'r grisiau?

4. Answer the following questions using time expressions, e.e. Prpd *w*elsoch chi Huw? Fe *w*elais i Huw *dd*oe.

1. Prpd dwedsoch chi wrth yr athro?
2. Prpd edrychodd chi ar y rhaglen?
3. Prpd meddylioch chi am y neges?
4. Prpd gadawsoch chi'r swpddfa?

5. Prϼd defnyddioch chi'r garej *dd*iwetha?
6. Prϼd gwelsoch chi'r *b*adell ffrïo?
7. Prϼd clywsoch chi'r ci?
8. Prϼd cawsoch chi'r bara brith?

5. Turn into the negative, e.g. Fe *w*elais i'r lliain bwrdd. *W*elais i mo'r lliain bwrdd.

1. Fe yfais i'r pop i gϼd.
2. Fe *f*wϼtais i'r ffrwϼthau ar ôl brecwast.
3. Fe *w*elais i'r tai newϼdd.
4. Fe smygais i'r sigâr yn y gwelϼ.
5. Fe *a*dawais i'r beic ar y sgwâr.
6. Fe *dd*efnyddiais i'r offer garddio.
7. Fe *g*ollais i'r *g*rib.
8. Fe anghofiais i'r arian.

Activities:

1. Group Diaries. Compile a group diary and present it as if it was a record of a day in the life of an individual. Allow members of the other group to cross-examine with suitable questions and asides!

2. Roving Reporter. Operate in twos or threes. The newspaper reporter is collecting material about various news items.

    e.g. (a) Y *dd*amwain (The accident)
    (b) Y tân (The fire)
    (c) Yr ymweliad (The visit)

3. Draw a series of pictures and use them as flash-cards to elicit sentences containing past tense verbs or bring cuttings from the day's newspaper and discuss them in class.

4. The long and the short of it. 'A' speaks sentences containing short forms of Past Tense verbs, e.g. Fe *f*ues i yn Llundain. 'B' uses long forms: 'Rydw i wedi bod yn Llundain.'

30. Mae Huw yn hwŷr.

Boss: Wel, Huw. Rydŷch chi'n hwŷr.

Huw: Ydw syr. Fe *g*ysgais i'n hwŷr.
Mae'n *dd*rwg gen i.

Boss: Fe ffoniais i Mrs. Ifans nawr ond
doedd dim ateb. Prŷd codoch
chi?

Huw: Prŷd codais i? Beth oedd hi?
Pan edrychais i ar y cloc ar y
llofft roedd hi'n naw o'r *g*loch.

Boss: A beth wedŷn?

Huw: Wel, fe *g*odais i ar unwaith, fe
ymolchais ac fe *w*isgais. Fe es
i â brecwast i'r *w*raig ond
*ch*es i *dd*im bŷd fy hunan.

Boss: *W*elsoch chi rŷwun ar y ffordd?

Huw: Naddo, fe *d*orrodd y car echnos.
Fellŷ, fe *r*edais i'r holl ffordd.

Boss: Am *f*aint o'r *g*loch aethoch chi
i'r gwelŷ neithiwr?

Huw: Roedd hi'n *dd*euddeg, rydw i'n
meddwl. Roedd y *g*ath ar *g*oll.
Fe syrthiodd Nest yn yr *a*rdd,
fe *g*ymerais i *d*abledi-cysgu ac
fe *g*ysgais i'n hwŷr.

Boss: *Ch*lywsoch chi mo'r cloc larwm?

Huw: Does dim cloc larwm gyda
ni. Nest ydŷ'r cloc larwm.

Boss: Sawl gwaith buoch chi'n hwŷr
y mis yma?

Huw: Fe *f*ues i'n hwŷr unwaith o'r
blaen ond fe *dd*es i erbŷn naw
y diwrnod hwnnw.

Boss: O, doeddech chi *dd*im yn hwŷr
iawn. O'r gorau. Gwran-
dewch. Peidiwch â bod yn
hwŷr eto. Prynwch *g*loc
larwm.

30. Huw is late.

Boss: Well, Huw. You are late.

Huw: Yes sir. I slept late. I *am* sorry.

Boss: I rang Mrs. Evans now but there
was no reply. When **did you**
get up?

Huw: When did I get up? What was it?
When I looked at the clock
upstairs it was nine o'clock.

Boss: And what then?

Huw: Well, I got up at once, I washed
and I got dressed. I took
breakfast to the wife but I
didn't have anything myself.

Boss: Did you see anyone on the road?

Huw: No, the car broke down the night
before last. So, I ran all the way.

Boss: At what time did you go to bed
last night?

Huw: It was twelve, I think. The cat
was missing. Nest fell in the
garden, I took sleeping **tablets**
and I slept late.

Boss: Didn't you hear the alarm clock?

Huw: We haven't got an alarm clock.
Nest is the alarm clock.

Boss: How many times have you been
late this month?

Huw: I have been late once **before but**
I came by nine **that day.**

Boss: Oh, you weren't very late. Very
well. Listen. Don't be **late**
again. Buy an alarm clock.

PATTERN PRACTICE

1.

Gysgoch chi'n	*dd*a? *d*rwm? hwɥr?	Do, fe *g*ysgais i'n Naddo, *ch*ysgais i *dd*im yn	*dd*a *d*rwm hwɥr

2.

Ffonioch chi'r	cigɥdd? banc? gwaith? meddɥg? *f*archnad?	Do, fe ffoniais i'r Naddo, ffoniais i mo'r	cigɥdd banc gwaith meddɥg *f*archnad

3.

Prɥd codsoch chi?	Fe *g*odais i'n	*g*ynnar *f*ore iawn hwɥr *dd*iweddar

4.

Edrychoch chi ar y	rasɥs ceffylau? cloc? llɥfr? rhaglen?	Do, fe edrychais i Naddo, edrychais i *dd*im	ar y	rasɥs ceffylau cloc llɥfr rhaglen

5.

Wisgoch chi'ch	ffrog? crɥs a'ch tei? dillad?	Do, fe *w*isgais i Naddo, *w*isgais i mo	fy	ffrog *ngh*rɥs a fy *nh*ei *n*illad

6.

Aethoch chi â	*th*abledi *ch*adair *ph*arsel	iddo fe? iddi hi?	Do, fe es i Naddo, es i *dd*im	â	*th*abledi *ch*adair *ph*arsel	iddo fe iddi hi

CCL—O

7.

Gyfarfyddoch chi â (Gwrddoch) (*Did you meet?*)	rhɥwun ifanc? rhɥwbeth? lori *l*aeth?	Do, fe gyfarfyddais i â (*gwrddais i*)	rhɥwun ifanc rhɥwbeth lori *l*aeth

8.

Gymeroch chi	*d*abledi-cysgu, fel arfer? ffisig (*f*oddion)? *d*onic? *dd*iferɥn o *dd*ŵr? sudd oren? 'r haearn smwddio? (*smoothing iron*)	Do, fe gymerais i	*d*abledi-cysgu, fel arfer ffisig (*f*oddion) *d*onic *dd*iferɥn o *dd*ŵr sudd oren 'r haearn smwddio (*smoothing iron*)

9.

*F*uoch chi	yn	Iwerddon? y cefn? Ffrainc? Sbaen? Sir *B*enfro? yr adeilad?	Do, fe *f*ues	i yn	Iwerddon y cefn Ffrainc Sbaen Sir *B*enfro yr adeilad
	'n	anlwcus? sgïo? adrodd?		i'n	anlwcus sgïo adrodd

10.

Question (Cwestiwn)	Infinitive (Berfenw)	Affirmative answer (Ateb cadarnhaol)	Negative answer (Ateb negyddol)
Hoffoch chi'r . . . ? (*Did you like the . . . ?*)	(hoffi)	Do, fe hoffais i'r . . .	Naddo, hoffais i mo'r . . .
*Dd*wedsoch chi wrth . . . ? (*Did you tell . . . ?*)	(dweud)	Do, fe *dd*wedais i wrth . .	Naddo, *dd*wedais i *dd*im wrth . . .
Syrthioch chi? (*Did you fall . . . ?*)	(syrthio)	Do, fe syrthiais i . . .	Naddo, syrthiais i *dd*im . . .
Gawsoch chi . . . ? (*Did you get . . . ?*)	(cael)	Do, fe *g*es i . . .	Naddo, *ch*es i *dd*im .
Godsoch chi . . . ? (*Did you get up?*)	(codi)	Do, fe *g*odais i . . .	Naddo, *ch*odais i *dd*im . . .
Gymeroch chi . . . ? (*Did you take . . . ?*)	(cymrɥd)	Do, fe gymerais i . . .	Naddo, *ch*ymerais i *dd*im . . .

222

Question (Cwestiwn)	Infinitive (Berfenw)	Affirmative answer (Ateb cadarnhaol)	Negative answer (Ateb negyddol)
Eisteddoch chi? (*Did you sit?*)	(eistedd)	Do, fe eisteddais i.	Naddo, eisteddais i *dd*im . . .
*W*naethoch chi'r . . .? (*Did you do / make the . . .?*)	(gwneud)	Do, fe *w*nes i'r . . .	Naddo, *w*nes i mo'r . . .
Garioch chi . . . ? (*Did you carry . . .?*)	(cario)	Do, fe *g*ariais i . . .	Naddo, *ch*ariais i *dd*im . . .
Gerddoch chi? (*Did you walk?*)	(cerdded)	Do, fe *g*erddais i . . .	Naddo, *ch*erddais i *dd*im . . .
Orweddoch chi? (*Did you lie down?*)	(gorwedd)	Do, fe *o*rweddais i . . .	Naddo, *o*rweddais i *dd*im.
Gysgoch chi? (*Did you sleep?*)	(cysgu)	Do, fe *g*ysgais i.	Naddo, *ch*ysgais i *dd*im.
Aethoch chi? (*Did you go?*)	(mɥnd)	Do, fe es i.	Naddo, es i *dd*im.
*Dd*aethoch chi? (*Did you come?*)	(dod)	Do, fe *dd*es i.	Naddo, *dd*es i *dd*im.

Vocabulary (Geirfa):

cloc larwm (*m*) — alarm clock
tonic (*m*) — tonic

tabledi-cysgu — sleeping tablets
cario — to carry

codi — to get up
syrthio — to fall
cymrɥd — to take
gorwedd — to lie down
sgïo — to ski

Grammar (Gramadeg):

1. The Subject Pronouns "I, you, he, she, we, you, they" are included after the verb:

    e.g. Fe *g*odais *i* ar unwaith.
    I got up at once.

2. Emphatic pronouns are placed first, the verb remaining in the 3rd person singular:

    e.g. *Fi g*lywodd y sŵn.
    It was I who heard the noise.

3. The Object after the inflected tense takes a soft mutation.

    e.g. Fe *g*ymerais i *d*onic neithiwr.
    I took a tonic last night.

But if the Object is preceded by a qualifying word, its mutation is determined by this word.

    e.g. Fe *l*yncais i'r tabledi.
    I swallowed the tablets.

223

4. In the example "*Ch*es i *dd*im b*ɥ*d" (I didn't have anything), 'c' has given 'ch' since the negative 'ni' which preceded it in written literary Welsh required the aspirate mutation of C, P, T.

MO (short for '*DDIM O*' is added after the verb for emphasis:)

*Ch*lywais i mo'r cloc larwm.
I didn't hear the alarm clock.

I didn't hear it.
*Ch*lywais i mono.

I didn't hear her.
*Ch*lywais i moni.

Learn:

> mono i (*me*)
> monot ti (*you*)
> mono fe (*him*)
> moni hi (*her*)
> monon ni (*us*)
> monoch chi (*you*)
> mon*ɥ*n nhw (*them*)

Exercises (Ymarferion):

1. Answer the following questions in the affirmative:

1. Gysgoch chi'n hw*ɥ*r?

   ....
   Do, fe *g*ysgais i'n hw*ɥ*r.

2. Ffonioch chi Mrs. Ifans?

   ....
   Do, fe ffoniais i Mrs. Ifans.

3. Godsoch chi'n gynnar?

   ....
   Do, fe *g*odais i'n gynnar.

4. Aethoch chi â brecwast i'r *w*raig?

   ....
   Do, fe es i â brecwast i'r *w*raig.

5. Gyfarfyddoch chi â'r *boss*.

   ....
   Do, fe *g*yfarfyddais i â'r *boss*.

6. Redsoch chi'r holl ffordd?

   ....
   Do, fe *r*edais i'r holl ffordd.

7. Syrthiodd Nest yn yr *a*rdd?

   ....
   Do, fe syrthiodd Nest yn yr *a*rdd.

8. Gymeroch chi *d*abledi?

   ....
   Do, fe *g*ymerais i *d*abledi.

9. Fuoch chi'n hw*ɥ*r o'r blaen?

   ....
   Do, fe *f*ues i'n hw*ɥ*r o'r blaen.

224

10. *Dd*wedsoch chi wrth y meddʒg? . . . .

Do, fe *dd*wedais i wrth y meddʒg.

2. Turn into questions:

1. *Ch*ysgais i *dd*im o *g*wbl. . . . .

Gysgoch chi o *g*wbl?

2. Fe syrthiais i ar yr *o*rsaf. . . . .

Syrthioch chi ar yr *o*rsaf?

3. Fe aeth e i'r Eidal. . . . .

Aeth e i'r Eidal?

4. Hoffais i mo'r bwʒd. . . . .

Hoffoch chi'r bwʒd?

5. Fe *g*erddais i i'r rasʒs. . . . .

Gerddoch chi i'r rasʒs?

6. *Ch*es i *dd*im tonic. . . . .

Gawsoch chi donic?

7. Fe *g*ymerais i'r gwʒliau yn yr haf. . . . .

Gymeroch chi'r gwʒliau yn yr haf?

8. Roedd hi'n *dd*euddeg o'r gloch. . . . .

Oedd hi'n *dd*euddeg o'r gloch?

3. Translate (Cyfieithwch):

1. I got up at once. . . . .

Fe *g*odais i ar unwaith.

2. The cat was missing the night before last. . . . .

Roedd y *g*ath ar *g*oll echnos.

3. We haven't got an alarm clock in the bedroom. . . . .

Does dim cloc larwm gyda ni yn y stafell *w*elʒ.

4. You weren't very well. . . . .

Doeddech chi *dd*im yn *dd*a iawn.

5. How many times have you been lucky? . . . .

Sawl gwaith buoch chi'n lwcus?

6. Did you meet anyone on the square? . . . .

Gyfarfyddoch chi â rhʒwun ar y sg\vâr?

7. I ran quickly to the bathroom. . . . .

Fe *r*edais i'n gyflʒm 'i'r stafell ymolchi.

8. There was no reply lunch time. . . . .

Doedd dim ateb amser cinio.

9. I washed and I got dressed at once. . . . .

Fe ymolchais ac fe *w*isgais ar unwaith.

10. I didn't get anything myself. . . . .

*Ch*es i *dd*im bʒd fy hunan.

225

Activities:

1. Connect the Past Tense actions with time and place. e.g. Fe *w*isgais i fy ffrog newɥdd yn y gwasanaeth deg yn y capel y bore yma. (I wore my new frock in the ten o'clock service in chapel this morning). Others can then ask:

   (a) Beth *w*isgoch chi?

   (b) Ble gwisgoch chi'r ffrog?

   (c) Sut ffrog oedd hi?

   (d) Pwɥ oedd yn gwisgo'r ffrog?

   (e) Prɥd gwisgoch chi'r ffrog?

2. Construct ten sentences based on Unit 30 and supply the answers.

3. Practise Question Forms, Affirmative and Negative answers in threes. Pretend that you are in a court of law. One person is the judge, another the defendant and the third is the prosecuting counsel.

   e.g. Judge: Gyfarfyddoch chi â rhɥwun?

   Defendant: Naddo, *ch*yfarfyddais i *dd*im ag unrhɥw un.

   Prosecuting Counsel: Do syr, fe *g*yfarfuodd e â Mr. X. (Ble? Prɥd?)

4. Prepare a telephone conversation using the Past Tense verbs.

5. Perform a mime and let the others guess what it was e.g. Beth *w*nes i nawr? (What did I do now?) Answer: Fe *g*ymeroch chi ffisig (You took medicine). Sound effects will add to the hilarity.

6. Bring Welsh records to the class. Play a few and discuss them. Pretend that you are one of the artistes. Ask 'How?' and 'Why?' questions.

7. Describe a holiday using coloured slides.

REVISION UNIT 5

Cue	Response
1. Roedd hi'n *w*lµb neithiwr	Oedd/Oedd hi?
2. Roeddwn i'n lwcus	Oeddech/Oeddech chi?
3. Roedden ni yno bore *dd*oe	Oeddech/ Oeddech chi?
4. Roeddech chi ar *f*ai (*at fault*)	Oeddwn/Oedden/Oeddwn i?/Oedden ni?
5. Doedd e/hi *dd*im *g*artre	Nac oedd
6. Doeddwn i *dd*im mewn prµd	Nac oeddech
7. Doedden nhw *dd*im yng *Ng*ogledd Cymru	Nac oedden
8. Roeddwn i wedi blino	Oeddech/Oeddech chi?
9. Roedden nhw wedi anghofio	Oedden/Oedden nhw?
10. Gwau oedd Nest?	Ie/Nage
11. Pacio oedd hi	Ie/Nage
12. Fe fµdd e'n gwµbod	Bµdd/Fµdd e?
13. *F*µdd e *dd*im yn eich nabod chi, *f*µdd e? (*will he*?)	Na *f*µdd
14. Fe *f*ydda i yn Iwerddon, ond *f*ydda i? (*won't I*?)	Byddwch
15. *F*yddwch chi *dd*im ar y trip, *f*yddwch chi?	Na *f*ydda
16. Fe *f*yddan nhw yma yn y man (*presently*)	Byddan
17. *F*yddan nhw *dd*im wedi gadael	Na *f*yddan
18. Mae eisiau i chi *b*aratoi	Oes/Oes e?
19. Mae hi'n *d*rueni, ond ydµ hi? (*isn't it*?)	Ydµ
20. Mae hi'n *b*rµd i chi *f*µnd i'r gwelµ	Ydµ/Ydµ hi?
21. Mae cyfle i *b*awb	Oes/Oes e?
22. *A*llwc**h** chi *dd*od?	Galla/Na *a*lla
23. Dydµch chi *dd*im am *g*yfarfod (*g*wrdd) ag e, ydµch chi? (*do you*?)	Nac ydw
24. Mae rhaid i chi *f*wµta mwµ na hµn	Oes wir/Oes e?
25. Mae hi'n *o*fid i'r teulu i gµd	Ydµ/Ydµ hi?
26. *F*uoch chi yno?	Do/Naddo
27. Fe fues i yn Llanelli, ond do? (*didn't I*?)	Do
28. Fe aethoch chi adre'n gynnar, ond do?	Do
29. *W*elsoch chi'r plant ar y llwµfan?	Do/Naddo
30. Fe *dd*aethon nhw'n sµth i Aberdâr	Do/Do fe?
31. *Ch*es i *dd*im amser o gwbl	Naddo/Naddo fe?
32. Fe *w*naeth e'r gwaith yn y bore, ond do?	Do
33. Gawsoch chi'r neges?	Do/Naddo
34. Fe anghofioch chi'r allwedd, ond do?	Do/Do fe?
35. Edrychoch chi ar y silff-*b*en-tân?	Do/Naddo
36. Fe *d*orrodd e'i watsh, ond do?	Do
37. *Ch*ysgoch chi *dd*im yn hwµr, do fe? (*did you*?)	Naddo
38. Doedd e *dd*im yn y tµ, oedd e?	Nac oedd
39. *W*isgoch chi mo'ch crµs, do fe?	Naddo

2. Note.

In EMPHATIC STATEMENTS.

Present tense	Imperfect tense
Garddio mae Huw (Huw is gardening)	Garddio oedd Huw (Huw was gardening)
Mr. Jones ydɲ e (He is Mr. Jones)	Mr. Jones oedd e (He was Mr. Jones)
mae	oedd
ydɲ	oedd

3. Study the following information about Nest and Huw. Then formulate questions and give answers.

Time	Huw's activity	Nest's activity
8–9	fe siafiodd ac fe ymolchodd e	fe gafodd hi frecwast
9–10	fe welodd e'r boss	fe edrychodd hi ar y papur
10–11	fe ddefnyddiodd e'r ffôn	fe anghofiodd hi olchi'r llestri
11–12	fe adawodd e'r swɲddfa	fe yfodd hi goffi
1–2	fe fuodd e mewn caffe	fe gafodd hi ginio gartre
2–3	fe gynhaliodd e bwɲllgor	fe aeth hi i gysgu

(Supply more 'times' and 'activities').

Suggested questions:

(a) Beth oedd Huw'n ei wneud rhwng naw a deg (*between nine and ten*)?
Roedd Huw yn siafio ac ymolchi.

(b) Beth wnaeth Nest rhwng un a dau?
Fe gafodd hi ginio gartre.

(c) Nest, beth wnaethoch chi rhwng deg ac un ar ddeg?
Fe anghofiais i olchi'r llestri.

4. Lightning translators. Prepare a series of sentences and, working in pairs, ask each other to translate alternate sentences.

5. Construct pictorial stories using past tense verbs and one or two pictorial aids

6. Prepare dehydrated sentences using skeleton words and ask your partner to supply the missing words.

228

7. Form groups.

> Group A asks "*Dd*efnyddioch chi'r powdwr?" (Did you use the powder?)
> Group B says "Do, fe *dd*efnyddiais i'r powdwr."
> Group C says "Naddo, *dd*efnyddiais i mo'r powdwr."
> Group D says "Naddo, *dd*efnyddion ni mo'r powdwr o *g*wbl. Roedd e'n rhɥ . . ."

8. Answer the following questions. e.g. **Ydɥch chi'n ysgrifennu heddiw? Then** answer in the following manner: Nac ydw. Fe ysgrifennais i *dd*oe.

  1. Gynigioch chi'r tocɥn i Ewɥrth Deio?
  2. Gysgon nhw'n hwɥr *f*ore *dd*ɥdd Iau?
  3. *F*wɥnheuoch chi'r gwasanaeth yn yr eglwɥs?
  4. Gynigioch chi oren iddi hi?
  5. Gofioch chi am y cyfarfod am saith?
  6. *Dd*erbynioch chi *b*arsel bore *dd*oe?

9. (a) Give affirmative and negative forms of these past tense verbs in the same sentence.

  > e.g. Fe *w*elais i'r ficer ond *w*elais i mo'r gweinidog.
  > Fe yfais i *b*eint o *l*aeth ond yfais i *dd*im cwrw.

  (b) Ask questions and answer them in this manner. Gofioch chi? Naddo, fe anghofiais i, mae'n *dd*rwg gen i.

10. Translate:

I have had these books for a month. (in my possession)	Mae'r llyfrau yma wedi bod gen i am *f*is (ers mis).
2. I have been walking.	Rydw i wedi bod yn cerdded.
3. He has his dinner in (the) town.	Mae e'n cael ei *g*inio yn y *d*re.
4. He has gone to bed.	Mae e wedi mɥnd i'r gwelɥ.
5. He has a diary (possesses).	Mae dyddiadur ganddo fe.
6. Who else went to the concert?	Pwɥ arall aeth i'r cyngerdd?
7. I preferred to stay here.	Roedd yn *w*ell (hi'n *w*ell) gen i aros yma.
8. Do you want to go at once?	Ydɥch chi am *f*ɥnd (eisiau mɥnd) ar un-waith?

11. Turn the following sentences into emphatic sentences.

  > e.g. Fe *dd*efnyddiais i *f*eiro *g*och.
  > Beiro *g*och *dd*efnyddiais i.

12. The 'Tense' Quartet. One member represents the Present tense, another the Imperfect tense, yet another the Perfect tense, and the fourth the Pluperfect tense.

Mr. Present: Rydw i'n smygu deg sigaret *b*ob dɥdd.

Mr. Imperfect: Roeddwn i'n smygu ugain sigaret *b*ob dɥdd llynedd.

229

Mr. Perfect:　Rydw i wedi smygu ugain sigaret heddiw.
Mr. Pluperfect:　Roeddwn i wedi smygu ugain sigaret cpn cinio.
(Formulate similar sentences based on work covered in the book)

13.　Which? (P'un?) Formulate sentences based on the following pattern:
Gawsoch chi *lythpr* neu *gawsoch chi barsel*? Fe *ges i barsel*. *Ddefnyddioch chi bensil* neu *ddefnyddioch chi feiro*? etc.

14.　Definite and indefinite object.
　　　e.g.　*Ches i ddim ffisig* (*I didn't get medicine*).
　　　　　 Welais i mo'r tabledi (*I didn't see the tablets*).
　　Formulate more statements with definite and indefinite objects.

15.　Prepare a list of Present tense verbs and let your partner give the short form Past tense forms.
　　　e.g.　Rydw i'n gwpylio'r teledu / Fe *wpliais i'r* teledu.

16.　All Change. One member gives a verb in a particular person and others change it into another person.

17.　Arrange words which you have learnt to date into 'families' i.e. words which belong to a certain area of interest such as shopping, the house, work etc.

18.　Think up new situations containing the material of the 30 units and prepare "dramatic" situational material centred around a family consisting of a father, mother, a teenage daughter and a ten year old son.

Geirfa — Vocabulary

(a Supplementary vocabulary to *Geiriadur Dysgwr*)

a'ch — and your (22)
Abertawe — Swansea (7)
a dweud y gwir — to tell the truth (9)
aethoch chi — you went (28)
ag — as (24) (Also 'with')
agorwch — open (from 'agor') (12)
Almaeneg — German (8)
am *dd*im — free, for nothing (16)
anghofiais i — I forgot (29)
anlwcus — unlucky (15)
arfer — usual (23) (Also 'custom')
ar *g*oll — lost (3)
ar *g*au — shut, closed (11)
arhosodd e (from 'aros') — he stayed
arhoswch *f*unud — wait a minute (11)
ar hyn o *b*ryd — at the moment (19)
ar *l*awr — downstairs (19)
ar unwaith — at once (8)

banana(s) (*f*) — banana(s)
bargen (*f*) — bargain (16)
beiro (*f*) — biro (29)
beth am? — what about? (14)
beth bynnag — whatever, anyway (16)
beth sy? — what is it which is? (14)
beth sy gan Huw? — What has Huw
    got? (14)
beth sy'n bod arnoch chi? — What's the
    matter with you? (14)
ble mae ('r)? — where is (the)? (1)
ble maen nhw? — where are they? (19)
ble rydych chi? — where are you? (5)
*b*ob — every (from 'pob') (5)
bocso — to box (cf. paffio) (6)
bore bach — early morning (26)
bore yfory — tomorrow morning (12)

brysiwch — hurry (2)
bwytais i — I ate (29)
byddwch — be (12)

Caerdydd — Cardiff (31)
Caerfyrddin — Carmarthen (25)
cafodd — had, got (28)
camera (*m*) — camera (11)
canolog — central (19)
cariwch — carry (12)
carped(i) (*m*), — carpet(s) (12)
cawsoch chi — you had (28)
Ceffyl Gwyn — White Horse (7)
ces i — I had, got (28)
Clwb Cinio Cymraeg (*m*) — Welsh
    Luncheon Club (14)
clyfar — clever (25)
clywsoch chi — you heard (29)
codais — I got up (30)
codwch — get up (12)
cofiwch — remember (10)
coffor (*m*) — coffer (12)
Coleg Harlech — Harlech College (5)
collais — I lost (29)
côt ffwr (*f*) — fur-coat (25)
côt *l*aw (*f*) — raincoat (27)
credais i — I believed (31)
credwch chi — you believe (23)
cryfa — strongest (24)
cryfach — stronger (24)
cwstard (*m*) — custard (16)
cyfarfyddais â — I met (31)
cyfarwydd — used to (22)
cylchgrawn (*m*) — magazine (9)
cymerais i — I took (30)
cymerwch — take (5)

Cymraeg — Welsh (5)
Cymro (Y) — The Welshman (22)
cyn bo hir — before long (17)
cynddrwg â — as bad as (23)
cyngerdd (m) — concert (14)
cynhara — earliest (23)
cynharach — earlier (23)
cynhyrchu — to produce (22)
cysgais — I slept (30)
cysgoch chi — you slept (30)
'ch — ( ) your (14)
*ch*es i *dd*im — I didn't get (30)
chwarae teg — fair play (15)

da boch chi — cheerio (6)
darllenodd — read (31) he / she read
darllenwch — read (12)
deffrowch — wake up (18)
des — I came (28)
deunaw — one and sixpence (18) - (16)
dewch â'r — bring the (11)
diar! — dear! (16)
diflas — miserable, tasteless (15)
Dinbych — Denbigh (20)
doeddech chi *dd*im — you were not (30)
does dim — there isn't (4)
does dim (annwyd) arna i — I haven't
    got a cold (15)
does dim poen gen i — I haven't got a
    pain (15)
does dim eisiau — there's no need (23)
does dim rhaid i *f*i — I don't have to
    (21)
dosbarth nos — evening class (5)
*d*ruan — poor (15)
druta — most expensive (23)
drutach — dearer (23)
dwedais — I said (31)
dwedwch — say (29)
dwy (*f*) — two (21)
dwy *b*unt — two pounds (£2) (31)
dwy *f*il — two thousand (19)
dydw i *dd*im — I am not (6)
dydych chi *dd*im — you are not

dyddiadur (m) — diary (14)
dydd Gwener — Friday (10)
dydd Llun — Monday (10)
dydd Mawrth — Tuesday (10)
dydd Mercher — Wednesday (10)
dydd Iau — Thursday (10)
dydd Sadwrn — Saturday (10)
dydd Sul — Sunday (10)
dyn y bara — the bread man (18)
dyn y glo — the coal man (18)
dyn y sbwriel — the refuse collector (**18**)

edrychais i — I looked (29)
edrychwch — look (3)
edrychwch am — look for (4)
edrychwch ar — look at (14)
eisteddwch — sit (12)
enillais i — I won (31)
erbyn — by (8)
erbyn hyn — by now (18)
es i — I went (28)
esgusodwch *f*i — excuse me (17)

fe *f*ues i — I have been (28)
fe *f*ydd — there will be (21)
fe *f*ydda i — I shall be (26)
fel arfer — as usual (14)
*f*uoch chi? — have you been? (**28**)
fy hunan — myself (30)
ffisig (m) — medicine (15) (cf. **moddion**)
Fflint — Flint (10)
ffoniais i — I telephoned (30)
ffonio — to telephone (20)
Ffordyn — a Ford car (13)

gadawais i — I left (29)
gadewch i ni — let us (12)
galwch — call (9)
galla i — I can (24)
glasaid — a glassful
*g*loch (o'r) — o'clock (18)
gofynnwch — ask (14)
gosodwch — lay (13)
grawnfwyd (m) — cereal (18)

232

grefi (*m*) — gravy (31)
grŵp pop (*m*) — pop group (19)
gwaetha'r modd — worse luck (18)
gwelais i — I saw (29)
gwisgais — I wore (31)
gwnaeth — did, made (28)
gwrandewch — listen (12)
gwresogɥdd (*m*) — heater (4)
gyda llaw — by the way (15)

hoffus — likeable (10)
hwɥrach na(g) — later than (23)

ienga — youngest (23)
i ffwrdd — away (27)
i gɥd — all (13)
i mewn — in (8)

lladron ('lleidr' — sing.) — thieves / thief (25)
lliain ymolchi — face-cloth (4)
llwɥ *b*wdin (*f*) — dessert spoon (12)
llwɥ *de* (*f*) — tea-spoon (12)
llɥfr lluniau (*m*) — picture book (20)
llɥfr peintio (*m*) — painting book (20)
llɥfr siec (*m*) — cheque book (20)

mae arna i ofn — I'm afraid (24)
mae . . . arna i — I've got . . . (15)
mae . . . gan . . . — . . . has (9)
mae e wedi — he has (13, 15)
mae hi'n *b*rɥd i chi — it's time for you (27)
mae hi'n *d*rueni — it's a pity (27)
mae hi'n *w*ell i *f* i — it's better for me (20)
mae'n *d*ebɥg — it seems, it is likely (18)
mae'n *dd*a gen i — I'm pleased (15)
mae'n *dd*rwg gen i — I'm sorry (10)
mae rhaid i *f* i — I must (9)
mae'n siŵr — it is certain (sure) (10)
maes parcio (*m*) — parking ground (19)
marmalêd (*m*) — marmalade (18)
meddyliais — I thought (29)
menig — gloves (sing. 'maneg') (27)
mewn prɥd — in time (2)

moment (*f*) — moment (15)
mor *dd*rud â — as expensive as (23)
mor *g*ynnar â — as early as (27)
mor hwɥr â — as late as (27)
mor ifanc â — as young as (24)
mor llɥfn â — as smooth as (24)
mor rhad â — as cheap as (23)
mor ysgafn â — as light as (23)
mwstard (*m*) — mustard (16)
mwɥa anodd — most difficult (24)
mwɥ anodd — more difficult (24)
mɥnd am *d*ro — to go for a walk (ride) (11)
mɥnd at — to go to (29)

nawr te — now (20)
niwlog — misty (20)
nos *F*awrth — Tuesday night (10)
nos *F*ercher — Wednesday night (10)
nos Iau — Thursday night (14)
nos Lun — Monday night (10)
noson *g*offi (*f*) — coffee evening (8)
noson *l*awen (*f*) — social (merry) evening (19)
nos Sadwrn — Saturday night (10)
nos *W*ener — Friday night (1)

o *dd*igon — by far (24)
oeddech chi? — were you? (24)
o *f*ewn — within (21)
offer garddio — garden tools (19)
ond oedd? — wasn't there? (25)
o'r — from the (5)

pacio — to pack (2)
padell ffrïo (*f*) — frying pan (29)
pa mor . . . ? — how . . . ? (25)
parcio — to park (21)
pecɥn (*m*) — packet (23)
peidiwch — don't (10)
peintwɥr — painters (28)
pengwin — penguin (22)
pen tost (*m*) — (cf. cur pen in N.W.) headache (16)

piti (*m*) — pity (11)
pleserus — pleasurable (24)
prynhawn (*m*) — afternoon (1)
porc (*m*) — pork (28)
porfa (*f*) — grass (31)
poster (*m*) — poster (31)
potelaid — a bottleful (16)
potel-*dd*ŵr-poeth (*f*) — hot-water bottle (16)
pum mil — five thousand (19)
p'un? — which one? (20)
pwɥllgor (*m*) — a committee meeting (14)

rasɥs ceffylau — horse races (6)
reis (*m*) — rice (13)
Rwsieg — Russian (6)
rydw i am — I want to (22)
rhata — cheapest (23)
rhatach na(g) — cheaper than (23)
rhedais — I ran (30)
rheina — those (in sight) (20)
rhowch — give (12)
rhɥdd — free (15)

salwch (*m*) — illness (28)
sarjant (*m*) — sergeant (25)
sawl? — how many? (19)
Sbaeneg — Spanish (6)
sedd *g*efn (*f*) — back seat (11)
sentimental — sentimental (6)
set radio (*f*) — radio set (31)
sgïo — to ski (30)
Sglain — (23)
Sgleino — (23)
siec (*f*) — cheque (28)
sigaret(s) (*f*) — cigarette(s) (2)
silff-*ly*frau — bookshelf (12)
siop *d*eganau (*f*) — toy shop (12)
siop *d*dillad (*f*) — clothes shop (12)
siop ffrwɥthau (*f*) — fruit shop (12)
siop *g*ig (siop y cigɥdd) (*f*) — butcher's shop (12), (21)

Sir *Benfro* — Pembrokeshire (28)
Sir *Dd*inbɥch — Denbighshire (31)
Sir *Fôn* — Anglesey (5)
Sir *Forgannwg* — Glamorganshire (26)
Sir *Gaerfyrddin* — Carmarthenshire (25)
siwt (*f*) — suit (2)
sosej(ɥs) (*f*) — sausage(s) (16)
sudd — juice (30)
sudd oren — orange juice (29)
swnllɥd — noisy (9)
syrthiodd — fell (30)

tabled(i) — tablet(s) (15)
tabledi-cysgu — sleeping tablets (30)
tacsi (*m*) — taxi (12)
tai — houses (sing. 'tɥ̂') (19)
'te — then (3)
(tele)ffôn — telephone (22)
tonic (*m*) — tonic (10)
torrodd — broke (30)
torth *f*rown (*f*) — brown loaf (31)
torth *w*en (*f*) — white loaf (31)
tryma — heaviest (24)
tships — chips (26)

wedi'r cwbl — after all (26)
welingtons — wellingtons (27)
*w*elsoch chi'r? — did you see the? (30)
wfft — blow! (23)
*w*ir — indeed (5)
wisgi — whisky (7)
*w*n i *dd*im — I don't know (1)
wrth fy *m*odd — in my element (26)
wɥ *w*edi ei *f*erwi — a boiled egg (18)

ych y f i — ugh! (6)
Y Faner — The Banner (31)
ymhen — within (21)
ymolchais i — I washed myself (30)
yn *dd*rutach — dearer (23)
yn *f*wɥ na — bigger than (23)
yn ôl — back, ago (25)

234

ynte? (onde?), (ontefe?) — isn't it?
    (Revision Unit 4)
Yr Urdd — The Welsh League of Youth
        (5)

Y Rhɥl — Rhɥl (26)
ysgafna — lightest (23)
ysgafnach — lighter (23)
ystwɥth — flexible, agile (24)